MW00526857

Vencer las adicciones

Vencer las adicciones

Javier Vergara Editor

GRUPO ZETA

Barcelona / Bogotá / Buenos Aires
Caracas / Madrid / México D. F.
Montevideo / Quito / Santiago de Chile

Título original: *Overcoming Addictions*
Edición original: Harmony Books
Traducción: Ana Mazía
Diseño de tapa: Raquel Cané

Paseo Colón 221 - 6° - Buenos Aires - Argentina

ISBN 950-15-2113-3

Impreso en la Argentina / Printed in Argentine
Depositado de acuerdo a la Ley 11.723

Esta edición se terminó de imprimir en
VERLAP S.A. Comandante Spurr 653
Avellaneda - Prov. de Buenos Aires - Argentina
en el mes de mayo de 2000.

Índice

PRIMERA PARTE: El significado de la adicción

1 *El buscador desorientado* 11
2 *Nutrir el espíritu* 17
3 *Acción, recuerdo, deseo* 24
4 *Descubrir su tipo de mente y cuerpo* 38

SEGUNDA PARTE: La experiencia de la adicción

5 *Adicción al alcohol* 61
6 *Adicción a drogas ilegales* 89
7 *Adicción al tabaco* 110
8 *Adicción a la comida* 125
9 *Otras adicciones* 143

TERCERA PARTE: Restablecer el equilibrio

10 *Meditación* 160
11 *Ejercicio* 167
12 *Dieta para equilibrar Vata* 178
13 *Alegría: la respuesta verdadera* 180

PRIMERA PARTE

El significado de la adicción

I

El buscador desorientado

Estoy convencido de que la adicción y sus consecuencias son los problemas de salud más graves que enfrenta nuestra sociedad en el presente. Las enfermedades cardiovasculares, las respiratorias como el enfisema, muchas formas de cáncer y el sida son sólo algunos de los estados a los que se llega, de manera directa o indirecta, por el camino de la adicción. Por lo tanto, este breve libro es un intento de abordar un problema muy vasto y complejo, en un espacio bastante limitado. A primera vista, podría parecer una tarea muy difícil, y hasta una actitud presuntuosa el intento de lidiar con las inmensas complejidades de la adicción, en poco menos de doscientas páginas. Sin embargo, creo que un libro breve como este puede beneficiar en gran medida a los millones de personas que se debaten en la lucha contra los comportamientos adictivos en sus vidas, y a los millones de familiares o seres queridos que tratan de ayudarlos a solucionar esos problemas.

De hecho, aunque reconozco la fuerte tendencia de nuestra sociedad a sufrir dificultades con la adicción, soy muy optimista y encaro este libro con gran impaciencia. El motivo es simple: si bien en estas páginas nos encontraremos con dolores físicos y emocionales verdaderos, esta obra se referirá a la salud y la alegría, el placer y la abundancia, el amor y la esperanza.

Hasta cierto punto, sé que la orientación positiva que adoptaré aquí no es la convencional, pues estoy convencido de que buena parte de nuestros esfuerzos para enfrentar las adicciones están teñidos de rabia, conflicto y desesperación. A veces, esto se expresa con suma claridad en frases como "la guerra contra las drogas" o en alusiones como "historias de guerra" referidas a carreras arruinadas y vidas destrozadas por comportamientos adictivos. En otras ocasiones, la orientación negativa se advierte de manera menos directa, como en el sombrío decorado de los numerosos centros de tratamiento a los que acuden los pacientes a enfrentar sus problemas, donde se sientan en círculo, en sillas de plástico sobre suelos de linóleo, en salas iluminadas por luces fluorescentes.

Miedo al pasado, miedo al futuro, miedo a disfrutar de la alegría real en el presente... muchos temores nos acosan, impulsándonos a sumergirnos en conductas adictivas. El miedo también forma parte de muchos programas de tratamiento de las adicciones. Pero, en mi opinión, para la mayoría de las personas, un enfoque basado en el temor no puede tener éxito durante un largo período. Por lo tanto, mi intención es proponer un punto de vista bastante diferente de la adicción, de lo que representa, y de las personas que sucumben a ella.

Veo al adicto como un buscador, pero un buscador desorientado. El adicto es una persona en procura de placer, incluso de cierta experiencia trascendental, y quisiera subrayar que considero esta búsqueda como muy positiva. El adicto busca en los lugares equivocados, pero va detrás de algo muy importante, y no podemos permitirnos ignorar el significado de esa búsqueda. Al menos en el comienzo, espera vivir algo maravilloso, algo que trascienda una realidad cotidiana insatisfactoria, y hasta insoportable. En este impulso no hay nada de qué avergonzarse, al contrario: es la base de una esperanza verdadera y de una transformación real.

Me inclino a ir aún más allá en esta definición del adicto como un buscador. A mi juicio, la persona que jamás ha sentido un impulso hacia la conducta adictiva, es la que no ha dado el primer paso vacilante hacia el descubrimiento del verdadero significado del Espíritu. Es probable que no haya nada de qué enorgullecerse en la adicción, pero representa la aspiración hacia un nivel de experiencia más elevado. Y aunque, en última instancia, esa aspiración no pueda satisfacerse por medio de sustancias químicas o conductas compulsivas, el solo intento sugiere la presencia de una naturaleza espiritual.

El Ayurveda, la ciencia india tradicional de la salud, enseña que hay un recuerdo de la perfección dentro de cada uno de nosotros. Está grabada en todas nuestras células. Es algo imborrable, pero puede cubrirse de toxinas e impurezas de todo tipo. En la lucha contra la adicción, nuestra verdadera tarea consiste no tanto en señalar los efectos destructivos de las conductas adictivas sino en reavivar la conciencia de la perfección que siempre nos habita. Cuando era escolar, leí *El paraíso perdido*, que es, sin duda, uno de los más grandes poemas de la lengua inglesa. Pero he aprendido que ese paraíso que nos habita nunca está perdido, en realidad. Y aunque lo perdemos de vista, siempre está a nuestro alcance.

He pensado con frecuencia que la música es la forma de arte que mejor puede ponernos en contacto con esa perfección interna. Y si bien puede apreciarse en el aspecto intelectual —y hasta como cierta clase de matemáticas—, la música también nos atrapa en un nivel más profundo que nuestro proceso de pensamiento consciente. Escuchando música podemos experimentarlo y más aún, tal vez, tocándola. Cada vez que asisto a un concierto o a un recital, me siento sacudido por el efecto evidente que ejerce la música sobre los intérpretes. Se experimenta cierta forma de éxtasis. Los músicos genuinamente metidos en una ejecución acuden a una realidad diferente y viven una experiencia de gozo y placer, por completo inconscientes de sí mismos. Verlo es algo fascinante e inspirador, y por cierto la clase de experiencia que representa una aspiración válida para la propia vida.

En relación con esto, recuerdo haber leído un relato de la vida de Charlie Parker, el talentosísimo músico que dominó el panorama del jazz en Nueva York, durante la década de los cuarenta y los primeros años de la de los cincuenta. Sus improvisaciones en saxofón no sólo eran asombrosamente rápidas e imaginativas, sino que también tenían coherencia lógica y unidad. Los músicos jóvenes, que idolatraban a Charlie Parker, estaban dispuestos a hacer cualquier cosa con tal de tocar como él, si bien su habilidad musical les parecía casi sobrehumana. ¿Cuál era el secreto para tocar así, para ser capaz de vivir en ese espacio privilegiado que él ocupaba cuando tocaba?

A decir verdad, además de ser un gran músico, Charlie Parker era adicto a la heroína. Pese a que sus mejores solos se producían cuando estaba libre de drogas, en toda una generación de músicos de jazz se había puesto de moda el uso de la heroína, y lo hacían para imitar a su ídolo. Era una aspiración comprensible, e incluso, admirable: querían participar de esa clase de experiencia trascendente que habían visto disfrutar a esa persona. Pero, en lo que se refería a muchas personas de talento, el resultado fue desastroso. La heroína fue, para ellos, un modo falso, destructivo, inapropiado de cumplir con el propósito principal de sus vidas: convertirse en grandes músicos. Esperaban dar con un atajo al paraíso, pero el atajo terminó siendo un desvío a ninguna parte.

Este punto es esencial en lo que toca a las adicciones, ya se trate de drogas, comida, alcohol, tabaco, juegos de azar, telenovelas o cualquiera de las mil tentaciones que se nos presentan todos los días en la vida. La adicción comienza por buscar algo bueno en el lugar equivocado. Como lo dice con claridad el psicólogo jungiano Robert Johnson en su brillante obra, *Ectasy*, la adicción no es más que un sustituto muy degradado de una verdadera experiencia de gozo.

2

Nutrir el espíritu

No sólo de pan vive el hombre.

Esta conocida metáfora aparece tanto en el Viejo como en el Nuevo Testamento, y no es difícil comprender su significado. Dicho con sencillez, significa que tenemos otras necesidades en la vida, además de la satisfacción de las estrictamente materiales. Pero es importante advertir de qué manera enfática se enuncia. La satisfacción espiritual se presenta como una necesidad fundamental en la vida, comparable a la de alimentos. En casi todas las otras tradiciones religiosas y espirituales se ha subrayado lo mismo: para sobrevivir, necesitamos "alimento para el alma".

En mi opinión, ésta es una verdad literal. El estado de nuestra vida espiritual tiene influencia directa en el funcionamiento de nuestro cuerpo, incluyendo el metabolismo, la digestión, la respiración y todas las demás actividades fisiológicas. Sin embargo, a menudo ignoramos o interpretamos equivocadamente nuestras necesidades espirituales. Hay indicios de que esto empieza a modificarse y de que comienza a formarse una nueva conciencia de los valores espirituales, sin embargo nuestra perdurable orientación materialista ha tenido importantes consecuencias íntimamente relacionadas con la persistencia de las conductas adictivas en la sociedad moderna.

Como no tenemos suficiente conciencia de la necesidad de plenitud espiritual, no debe sorprendernos que muchas personas hayan entendido mal las verdaderas exigencias del espíritu humano. Han descubierto una amplia variedad de actividades hiperestimulantes y un número también amplio de sustitutos que adormecen la sensibilidad de "lo verdadero", esa experiencia profunda que Robert Johnson llama *éxtasis*.

Esto es grave, porque necesitamos del éxtasis. Lo necesitamos tan esencialmente como el alimento, el agua y el aire y, sin embargo, esta necesidad humana básica ha sido poco reconocida en la sociedad occidental contemporánea. En los treinta últimos años hemos hecho grandes progresos en lo que atañe a reconocer el deterioro de nuestro medio ambiente físico y en revertir esa tendencia. Pero al mismo tiempo fracasamos en asumir nuestras necesidades espirituales con algo que se acerque, siquiera, a un fervor similar. En mi opinión, el problema de las conductas adictivas es el resultado directo de este desliz fundamental.

En todas las culturas y épocas históricas, los seres humanos han sentido la necesidad de experimentar éxtasis, una clase de dicha que trascienda la realidad cotidiana. Diversas culturas han intentado satisfacer esa necesidad de maneras muy diversas, algunas con una orientación mucho más espiritual que otras. En el siglo XIX, el novelista ruso Fedor Dostoievski afirmó que, para estar contentas, las personas necesitan tres experiencias de la sociedad a la que pertenecen: milagros, misterio y guía espiritual, y que estas tres son mucho más importantes para la gente que las necesidades materiales. Quizás el adicto crea que puede acceder a esos milagros, a ese misterio, por el camino de la adicción, y esta perspectiva se hace más atrayente aún en ausencia de guía espiritual. Más que ver a los adictos como seres humanos débiles, o incluso criminales, prefiero verlos como personas que reaccionan de manera autodestructiva, aunque comprensible, al vacío espiritual que existe en medio de la abundancia material.

Todos sentimos el efecto de este vacío espiritual, y podemos responder de diversas maneras, según las personas que seamos y las circunstancias en que nos hallemos. Pero es importante reconocer que, en nuestra sociedad, a menudo las respuestas ante los anhelos espirituales adoptan formas materiales.

Recuerdo a un amigo que había logrado un éxito espectacular en los negocios, siendo aún joven. Con poco más de 40 años, se encontró en la situación de hacer o tener casi todo lo que se le antojase. Y, en efecto, se le antojaba algo, pero no sabía qué. De cualquier manera, compró una casa veraniega junto a un lago. Compró un costoso vehículo de doble tracción para llegar a esa casa, y una barca, para tener algo que hacer cuando estuviese allí. También adquirió un teléfono celular para mantenerse al tanto de sus negocios desde la embarcación y desde el automóvil. Es una historia conocida, vivida a menudo por individuos que gozan de éxito financiero y, en realidad, es inútil. Después de haber adquirido la casa, el automóvil, el barco y el teléfono, mi amigo no estaba más cerca de la plenitud que al comienzo. Por el contrario, se sentía más deprimido, y aún estaban por verse las consecuencias a largo plazo de tal situación. El barco, por ejemplo, resultó ser un sitio muy conveniente para beber copiosamente.

Como mi amigo es una persona rica, de personalidad fuerte, hasta ahora semejante derroche no ha causado ningún daño grave. Pero alguien con menores recursos financieros, o quizá con una personalidad diferente, más vulnerable, podría canalizar un ansia espiritual no reconocida por vías más autodestructivas. Las respuestas materiales esenciales a una necesidad no basada en lo físico suelen proveerlas el alcohol, las drogas y los comportamientos sexuales peligrosos. Pero si nunca hemos aprendido dónde buscar la dicha verdadera en lugar de la mera sensación, no es de extrañar que no la encontremos.

El científico en computación David Gelernter, en su libro: *The Lost World of the Fair* (1939: el mundo perdido de la Feria), parte de la Feria Mundial de Nueva York para hacer un análisis de la sociedad contemporánea. Arriba a ciertas conclusiones que me parecen bastante claras y convincentes. Realizada a fines de la Gran Depresión, y poco antes de estallar la segunda guerra mundial, la feria mundial brindaba una visión del futuro que, en aquel entonces, debió de parecer inimaginable a mucha gente. En la feria se sugería que llegaría el momento en que todos tendrían su coche. Más aún, todos tendrían cochera donde guardarlo. Habría casas accesibles, refrigeradores eléctricos y hasta aparatos de televisión para todos. Gelernter explica que esa visión aparentemente imposible impulsó a la sociedad norteamericana durante los años de la guerra y del período de prosperidad creciente que siguió.

Y aquello que parecía inalcanzable comenzó a transformarse en el modo de vida de muchas personas. Sin embargo, a medida que se sucedían los éxitos en lo referido a satisfacer las necesidades materiales, por fuerza se reducía la cantidad de cosas que era posible anhelar. Como lo que anhelábamos y lo que nos impulsaba a trabajar eran cosas, cada vez que se cumplía un objetivo material, disminuían un poco la esperanza y el propósito.

Hoy nos encontramos viviendo el sueño que nos inspiró medio siglo atrás. Si el sueño ha resultado desdichado para muchos norteamericanos quizá se deba a que fue erigido sobre lo que necesitábamos en aquel entonces. Ahora que muchos de nosotros lo hemos logrado, necesitamos algo cualitativamente diferente. Necesitamos algo más.

La situación es aún más complicada para los millones de personas que todavía no consiguieron el éxito financiero y material que relacionamos con la sociedad moderna de Estados Unidos. Sin duda, las conductas adictivas son más frecuentes entre los pobres que en las capas prósperas de la sociedad, y sus efectos son más destructivos para las personas de menores recursos sociales y personales. Si digo a alguien que se siente excluido del éxito material que debería reconocer sus necesidades espirituales, me expongo a crear controversia. Podríamos preguntarnos si no sería como decirle a un niño que ser adulto no es tan interesante como parece. ¡Los niños seguirían queriendo comprobarlo por sí mismos! Aun así, sigo creyendo que la conciencia y la satisfacción del espíritu son fundamentales para todos, sea cual fuere su lugar actual en la sociedad, y más aún, creo que esa conciencia es la única solución verdadera y duradera de los comportamientos adictivos. En las páginas que siguen, intento demostrar que la plenitud espiritual es accesible a todos, cualquiera sea su historia personal o sus recursos materiales. Claro que sus circunstancias individuales tendrán influencia e iluminarán el camino que deba seguir hacia el desarrollo de su espiritualidad. Por cierto, una de las características más fuertes del Ayurveda es la flexibilidad, ésta le permite atender a las necesidades individuales únicas.

3

Acción, recuerdo, deseo

Cada vez que quiero entender el significado de la maravilla y la dicha, evoco una luminosa y bella tarde en que fui a caminar con la hija de mi vecino, una niña de tres años.

Si bien el paseo no consistió más que en dar una vuelta a la manzana, tardamos casi una hora. Casi todo lo que veíamos u oíamos era un gozoso descubrimiento y daba ocasión a una entusiasta discusión. Una y otra vez nos deteníamos a mirar los coches estacionados a lo largo de la calle. Mi pequeña amiga comentaba, entusiasmada, los colores, los tamaños, las formas y hasta insistía en tocar cada uno de ellos. Dedicaba la misma atención fervorosa a las flores que crecían en los jardines ante los cuales pasábamos y al sonido lejano de una locomotora.

Cuando pasaba un avión, nos deteníamos de inmediato y contemplábamos el cielo hasta que el aparato sólo era una mota en la lejanía. Y, por supuesto, lo saludábamos con la mano.

Durante esa caminata alrededor de la manzana, hubo muchas cosas importantes que aprender. Por ejemplo, era evidente que el placer de la pequeña no provenía de las cosas que encontrábamos. Lo que veíamos, oíamos o tocábamos no eran más que oportunidades para que la niña expresara lo que ya estaba dentro de ella. El sentimiento no derivaba de ningún objeto del mundo exterior sino que se proyectaba al mundo, partiendo desde su corazón y su alma. En lo que a mí respecta, alegría es la palabra que mejor describe ese estado de placer generado en uno mismo.

La mayoría de la gente, o al menos los adultos, no experimentan alegría cada vez que dan un paseo en torno de la manzana, y tienen buenos motivos. Los niños viven en un universo de pura contemplación y, para ellos, lo que ven, lo que oyen, lo que tocan existe para ser disfrutado, para jugar con eso, no para ser usado. La vida de los mayores, en cambio, está dominada por las responsabilidades. Un día soleado, cuando caminamos, percibimos el mundo como una mezcla difusa de colores y texturas, mientras nuestras mentes siguen concentradas en los problemas que nos parecen más urgentes en el momento, cualesquiera sean éstos. No importa el nombre que demos a este nivel de experiencia; sin duda no se trata de alegría.

Pero, supongamos que ese adulto preocupado camina con la vista en la acera, y de pronto encuentra algo inesperado: ¡un billete de cien dólares! ¡El efecto es casi mágico! Ante este golpe de buena suerte, las aflicciones que lo abrumaban se desvanecen de pronto, al menos por un momento. Si a usted le sucediera esto, de inmediato surgiría en su mente una lista de las cosas que podría hacer con ese dinero. Quizá no lo consideraría una experiencia transformadora, pero por cierto lo consideraría algo muy bueno, y su estado de ánimo cambiaría de manera evidente. ¿Qué sentiría? Estoy seguro de que al instante surgiría una palabra: felicidad.

Encontrar cien dólares le hace feliz. El dinero es un motivo externo, y la felicidad un resultado interno. La dicha, por el contrario, podría definirse como felicidad sin motivo. La dicha es un estado interno preexistente que define la manera que percibimos el mundo. La dicha es una causa, mientras que la felicidad es un efecto.

No sugiero que nosotros, los adultos, intentemos siempre vivir la vida como si fuésemos niños; se trata de que tomemos conciencia del dichoso estado de ser que una vez fue nuestro. Todavía podemos acceder a él, si bien a menudo se confunde con esa experiencia tan diferente que he llamado felicidad. La felicidad es aquello que buscamos, que anhelamos, incluso es aquello por lo que luchamos. Es lo que tratamos de encontrar o, más bien, que tratamos de comprar. La dicha es lo que somos.

Las personas procuran evitar el dolor y sentir placer, y buscarán sentirlo en cualquier forma que les parezca accesible. Si hemos perdido el contacto con nuestras fuentes internas de dicha, si la felicidad que se origina fuera de nosotros es la única dicha que conocemos, ésa será la experiencia que buscaremos por nosotros mismos. Según nuestras circunstancias, ésta podría ser una tarea muy positiva y fructífera. Por desgracia, también podría ser una adicción, en cualquiera de sus formas.

Permítame cambiar la experiencia de encontrar cien dólares por otras posibles. Supongamos que, en lugar de encontrar dinero, un joven que vive en un universo de dolor y de violencia, se topa con una sustancia que lo transporta, al instante, a una vivencia por completo diferente, aunque sólo sea por breve tiempo. Imaginemos a otro joven, estancado en su carrera, sufriendo las presiones económicas de la familia, se siente más relajado si se queda levantado después que su esposa se ha acostado, y bebe una cerveza... y se siente mejor aún si consume media docena. En el caso de otra persona, esta clase de huida podría hallarse en la lista interminable de sustancias y comportamientos potencialmente adictivos. Cualquier experiencia que brinde placer despertará, como es lógico, el deseo de repetirla. En el comienzo, al menos, esta repetición es voluntaria. Después, cuando la adicción está instalada, se convierte en una necesidad, incluso en una compulsión.

El Ayurveda identifica con claridad los mecanismos psicológicos y fisiológicos que hemos estado comentando. Cada vez que ejecutamos una acción, ya sea recoger un lápiz o navegar por los rápidos en un bote de goma, la registramos dentro de nosotros de acuerdo con un espectro que va del máximo dolor al máximo placer. Finalizada la acción, sigue existiendo en nuestras mentes —y también en nuestros cuerpos—, como recuerdo catalogado según un dolor o placer de determinada intensidad. Si el porcentaje de "dolor" es lo bastante alto, haremos todo lo posible por no repetir la acción. Pero si nos proporciona gran placer, pondremos el mismo esfuerzo para realizar una vez más esa acción.

La palabra sánscrita *karma* significa acción. Puede referirse tanto a una actividad física como a un proceso mental, un pensamiento o una emoción. Cada acción contiene las semillas del recuerdo, que, en el mismo idioma, se llaman *sanskara*, y las del deseo, que se denominan *vasana*. La diferencia esencial entre estos dos conceptos consiste en que una mira atrás, mientras que la otra mira adelante. Si el recuerdo de una acción es placentero, engendrará el deseo de ejecutar una nueva acción que será, por lo menos, tan disfrutable como la original. Quizá, la nueva acción no haga más que duplicar la anterior, o tal vez trate de obtener mayor placer aún.

La verdad esencial de este paradigma fue reconocida incluso por tradiciones filosóficas muy lejanas de la hindú. El escritor francés Honorato de Balzac observó que en las vidas de personas muy emotivas —se refería, en especial, a jugadores y amantes—, existe a menudo una experiencia cumbre que llega a dominar todas las futuras acciones dando lugar a luchas individuales por recrear la intensa estimulación de aquel momento irrepetible. Tal vez sin comprenderlo, Balzac nos brindaba una descripción perfecta de la conducta adictiva, si tenemos en cuenta que el juego y el sexo compulsivos son dos de las adicciones mejor documentadas.

El Ayurveda subraya que, luego de haber ejecutado una acción, ésta se imprime de manera permanente en nuestro ser, junto con sus componentes también perdurables de memoria y recuerdo.

Por cada cosa que hacemos o decimos, o incluso que pensamos, se codifica en nuestras células una tríada de acción-recuerdo-deseo, y este código es imposible de borrar. Tal hecho reviste enorme importancia en el tratamiento de las adicciones que ofreceremos en el libro. No intentaremos "librarnos" de los recuerdos y deseos que subyacen en el comportamiento adictivo. Más bien, concentraremos el esfuerzo en crear sentimientos nuevos, muy positivos, que moderarán los impulsos destructivos de la adicción, y les arrebatarán su poder.

Quizás, el mejor modo de ilustrarlo sea a través de una experiencia que tuve con un paciente, hace unos años, en nuestro centro residencial de tratamiento. Creo que este caso verídico ejemplifica la eficacia de un enfoque positivo de la adicción, que está destinada a servir a necesidades individuales. Mi paciente era una muchacha de 17 años, a la que llamaré Ellen.

Ellen tenía problemas graves de salud cuando la vi por primera vez, pero pronto se hizo evidente que se originaban en el uso de drogas y en otras conductas autodestructivas que habían dominado su vida desde los 14 años. Para sintetizarlo, Ellen era adicta a la heroína, y a raíz de esto se había involucrado en otras actividades peligrosas y destructivas, como el robo y la prostitución.

Al principio, resolví no hablar con Ellen sobre ninguna de sus conductas adictivas: ya había hablado al respecto con demasiadas personas. Más aún, cada minuto de su vida estaba concentrado en la adicción de un modo u otro, ya fuese por participación directa o por intentos terapéuticos. Hasta ese momento, ningún tratamiento había dado un resultado prolongado.

—Por el momento, no hablemos de ninguno de los problemas que has estado padeciendo —sugerí a Ellen en uno de nuestros primeros encuentros—. Hablemos de lo que hiciste antes. Cuando eras pequeña, ¿había algo que te gustara mucho hacer? En aquel entonces, ¿qué esperabas con impaciencia? ¿Qué era lo que más te interesaba?

Ellen pensó un momento, como si intentara recordar una fecha de historia antigua y no sucesos de su propia vida ocurridos dos o tres años antes.

—Bueno —dijo—, en realidad, me encantaba cabalgar. Pero ahora ni me imagino montando un caballo. Ni siquiera sé si sería capaz de hacerlo sin caerme. En aquel entonces, yo era una persona diferente.

Mirándola, pude entender por qué se sentía así. Parecía ansiosa, cansada y subalimentada. Una gruesa costra de mala salud mental, física y emocional la aislaba del mundo exterior, e incluso de sus propias necesidades y sentimientos. Por lo tanto, el primer objetivo de su tratamiento era quitar esa capa. Sugerí a Ellen que adoptara el proceso de purificación ayurvédica de cinco partes, conocido como Panchakarma. Tras discutir un poco, Ellen aceptó... y como todos los que prueban el Panchakarma, sintió que casi había "renacido". El Ayurveda considera mente y cuerpo como elementos de una misma unidad. A medida que el cuerpo de Ellen se limpiaba en el nivel celular, el más básico, se limpiaban y recuperaban sus emociones y su espíritu. En el Panchakarma no hay nada de misterioso ni de milagroso, pero el efecto es bastante espectacular. Las barreras químicas y emocionales que escondían el ser genuino de Ellen comenzaban a levantarse.

Tras ese proceso de limpieza, y después de descansar unos días, decidí que era hora de abordar de manera más directa el problema de Ellen con la adicción. Pese a las dudas que había expresado, fuimos a cabalgar. Y, como yo sabía que sucedería, Ellen lo disfrutó muchísimo. Desde la perspectiva ayurvédica, esto tenía una enorme importancia, porque la cabalgata volvió a encender determinada secuencia de acción, recuerdo, deseo que había tenido un papel positivo en la vida de Ellen. Estaba seguro de que esa sería, otra vez, una influencia positiva.

Cuando volvimos del paseo a caballo, le pregunté cómo se sentía. Quería que, describiéndola, ella reviviera la experiencia que acababa de gozar. Ellen estaba sorprendida y contenta de haber disfrutado tanto de una actividad que ya no creía poder ejercer. A continuación, le propuse pasar un momento a mi oficina, donde yo tenía que hablar algo con ella.

Cuando nos sentamos en el sofá, percibí que Ellen se preparaba para una severa diatriba. Vi que guardaba silencio y se retraía, en actitud defensiva, como había estado en los primeros encuentros. Pero en lugar de hablarle, pedí a Ellen que ella me hablase.

—Me gustaría que me contaras todo lo que sentías cuando te inyectabas droga —dije—. Todo, desde el principio al final. Por favor, describe con exactitud cómo se hace y qué se siente.

—¿Se refiere a cuando vuelo y después caigo? —preguntó.

—No, porque ése no es más que el resultado final. Empieza por el principio. Dime qué aspecto tiene la jeringa y cómo la sientes en la mano. Dime qué aspecto tiene la aguja y qué sensación percibes cuando la clavas en tu brazo. Si hay placer en algo, descríbelo, y si hay dolor, miedo o tristeza, también. Cuéntame qué hueles cuando te aplicas droga, y qué sonido hace la jeringa cuando empujas el émbolo. ¿Sientes algún sabor en particular, o se te reseca la boca? Trata de revivir todo el proceso en tu imaginación.

Tenía varios motivos para pedir a Ellen que hiciera esto, pero el más importante era que se trataba de un ejercicio de toma de conciencia. En el Ayurveda, la toma de conciencia significa tener plena noción del momento presente. Significa concentrar la atención en todos los sentidos y experimentar en plenitud lo que a uno le dice el propio cuerpo, mientras se desarrolla determinada actividad. Ellen no estaba acostumbrada a tomar conciencia cuando se inyectaba drogas. Era algo que hacía de manera automática, como una máquina, y la niebla que la envolvía en cuanto la droga hacía efecto, ocultaba todavía más la mecánica verdadera de la experiencia. Contarme el proceso representaba un esfuerzo para ella, tanto en el aspecto emocional como intelectual, pero yo quería que fuese explícita en cuanto a lo que estaba involucrado. Cuando acabó con esta descripción detallada, sentí que la experiencia se había aclarado para ella, era más real, más consciente, como si en realidad hubiese cargado la jeringa y clavado la aguja en el brazo, como había hecho tantas veces.

—Ahora, del mismo modo que me has contado con gran detalle cómo te inyectabas la droga, quisiera que me contaras otra vez lo que has sentido esta tarde, cuando cabalgábamos. Describe otra vez todos tus pensamientos y sensaciones. ¿Cómo te sentías hoy, cuando viste al caballo por primera vez? ¿Qué sentías al poner el pie en el estribo? ¿Qué sensación te daba el cuero de la montura? ¿Qué sonido hacían los cascos del caballo sobre la hierba? ¿Qué emociones experimentabas en distintos momentos de la cabalgata? Condúceme a través de todos los sucesos, desde el principio al fin.

Esta segunda descripción le resultó mucho más fácil, y no sólo porque era muy reciente. Se debía a que había experimentado en plenitud la cabalgata: Tanto la mente como el cuerpo estaban libres del aturdimiento que la había dominado los últimos tres años. Todo lo que se refería a la cabalgata había sido vívido y pleno de dicha para esta joven, y su descripción lo reflejó.

—Ahora, tendrás que elegir entre estas dos experiencias —le dije—, y como acabas de narrármelas con toda claridad y conciencia, sé que podrás adoptar una decisión a sabiendas. Por supuesto que me siento tentado a hacer un comentario moralista acerca de la diferencia entre inyectarse heroína y andar a caballo, pero la resistiré, porque no creo que te sirva de nada. Sólo señalaré que lo que viste, oíste, oliste, sentiste, los pensamientos y sentimientos que viviste esta tarde no estarán a tu disposición —te serán prácticamente inaccesibles— si eliges tomar droga.

Me alegra decir que Ellen eligió alejarse de la droga, y que tuvo la fuerza de sostener esa decisión. Sé que el enfoque que adopté con ella entrañaba cierto riesgo, pero también creo que tuvo éxito por el mismo motivo. No pedí a Ellen que negara el placer vivido cuando usaba heroína. Al contrario, la invité a concentrar la atención en las sensaciones mientras hablábamos... pero también que tuviese conciencia del dolor asociado al uso de la droga. El paseo a caballo, en cambio, fue pura alegría. Era algo de lo que había disfrutado antes de meterse en problemas, y el recuerdo reavivado de ese placer más intenso logró eclipsar el disfrute relativamente inferior que le proporcionaba el consumo de drogas. En cuanto un adicto accede a una forma de satisfacción más profunda de la que es posible mediante un comportamiento autodestructivo, se abrirá ante él el camino de salida, de manera natural. Una vez que se reaviva el recuerdo de la perfección interior, genera un deseo más fuerte que la adicción misma.

Este tratamiento de la adicción, beneficioso para Ellen, podría calificarse como "basado en el placer" o, quizá, "conciencia, con énfasis en el placer". Pero, para simplificar, es preferible referirse a él como espiritual. Estoy convencido de que este enfoque puede tener éxito en muchas personas, si bien el proceso puede requerir, en ocasiones, ciertos pasos adicionales. A pesar de lo que le había sucedido,

Ellen contaba con la experiencia de la dicha a la cual aferrarse. No bien se desplegaron ante ella los recuerdos y los deseos positivos, se convirtieron en poderosas fuerzas para su recuperación. Pero, ¿y si Ellen me hubiese mirado desconcertada cuando le pregunté qué era lo que disfrutaba antes de quedar atrapada por las drogas?

Hay muchas personas en cuyas vidas jamás hubo momentos positivos del tipo de los que Ellen pudo usar como recursos curativos. O quizás esos momentos quedaron tan tapados que ya no podrían ser evocados durante alguna agradable tarde de sol. Para poder renunciar a las sensaciones que proporcionan las adicciones, es preciso haber conocido el verdadero placer. Y el primer paso para conocer la dicha es, sencillamente, conocerse a uno mismo. Una de las máximas contribuciones del Ayurveda es la forma en que se adapta al carácter único de cada ser humano y, al mismo tiempo, brinda categorías de tipos mente-cuerpo que nos permiten comprender necesidades y rasgos individuales de un modo muy práctico.

En el próximo capítulo, tendrá la oportunidad de identificar su propio tipo de cuerpo y mente dentro de este sistema ayurvédico, y más adelante aprenderá cómo usar este conocimiento para crear un bienestar mental, físico y espiritual... o, en una palabra, alegría.

4

Descubrir su tipo de mente y cuerpo

El Ayurveda es el sistema más antiguo del mundo para conservar la salud y prevenir y eliminar enfermedades. Su origen data del 2500 a.C., y cuando Hipócrates y los otros primeros médicos griegos realizaron su obra, ya existía desde hacía tiempo. De hecho, tal vez estos tuviesen la influencia de la medicina hindú, llevada a toda Europa por las rutas comerciales que llegaban del Este, ya bien establecidas. En el presente, a medida que empezamos a comprender los límites de lo posible usando una visión puramente mecánica del cuerpo, cobra más importancia en Occidente la aguda visión del Ayurveda y otros sistemas tradicionales de atención de la salud.

Quizás el más importante de los principios del Ayurveda sea el que señala que debemos conocer al paciente antes de poder entender y controlar la enfermedad. Este punto de vista es compartido por sanadores de numerosas tradiciones, y a menudo se deja de lado en la atención sanitaria contemporánea, cuando el sólo hecho del gran número de pacientes y la tendencia a confiar en medicamentos vastamente prescritos pueden desviar la atención de las necesidades individuales. Para conocer de verdad el estado de cualquier ser humano, debemos conocer la índole mental, emocional e incluso espiritual de esa persona, tanto como la altura, el peso, la presión sanguínea y otros datos fisiológicos en los que suele apoyarse la medicina moderna. El Ayurveda enseña que no es prudente hacer una distinción tajante entre mente y cuerpo: éstos son sólo elementos de la totalidad que es un ser humano. Cuando tratamos una adicción, la íntima conexión entre mente y cuerpo es algo especialmente importante. Es obvio que la idea o el deseo de una acción constituyen el origen real del problema. La noción de una separación rígida entre un estado emocional y una enfermedad física es inútil cuando se está frente a conductas de tipo adictivo.

A lo largo de siglos, el Ayurveda ha creado una terminología muy eficaz para expresar las relaciones entre mente y cuerpo, y para describir los modos en que se expresan dichas relaciones en una misma persona. Según el Ayurveda, el universo es creado, formado y organizado por la conciencia, que se expresa a través de cinco elementos principales: espacio, aire, fuego, agua y tierra. En el sistema mente cuerpo del ser humano, estos cinco elementos se refinan, y dan lugar a tres principios rectores esenciales, que esta tradición denomina *doshas*. A través de estos *doshas* la energía y la información del universo se hacen presentes en nuestros cuerpos y en nuestras vidas.

Cada uno de los tres *doshas* tiene una influencia específica en la fisiología.

El *dosha Vata* es el principio del movimiento: rige la circulación, el paso del alimento por el tracto digestivo y hasta el movimiento de ideas y sentimientos por nuestro cerebro. Vata se deriva de los elementos espacio y aire; es imprevisible como el viento, y está en movimiento perpetuo.

El *dosha Pitta* se asocia con el elemento fuego y, con frecuencia, se lo describe por medio de metáforas del calor. Pitta es responsable de convertir el alimento en energía por medio de la digestión, y también del metabolismo del aire y del agua.

El *dosha Kapha* es el principio de la estructura en el sistema mente cuerpo. Deriva de los elementos tierra y agua, y se dice que es el más "pesado" de los doshas. Se necesita Kapha para la formación de músculos, huesos y tendones; es responsable de las paredes celulares que dan estructura a la fisiología en el nivel básico.

El Ayurveda nos enseña que el sistema mente cuerpo se define por las proporciones de Vata, Pitta y Kapha presentes en el organismo, y por el grado en que esas proporciones se desvían del equilibrio dóshico "ideal", que queda fijo en el comienzo mismo de la vida. Si al nacer su dosha dominante ha sido Vata, el Ayurveda considerará que usted es del tipo Vata, porque las características de ese dosha serán más evidentes en su índole mental y física. Lo mismo sucede si los que dominan al nacer son Pitta o Kapha, lo cual significa que influirán más en su naturaleza. A medida que avanza la vida, la tensión o la enfermedad pueden provocar desequilibrios en los doshas, y hacer que uno de los elementos subordinados se vuelva dominante. También puede ocurrir que el dosha dominante se desequilibre. Por ejemplo, un tipo Vata desequilibrado podría tener excesivo Vata, del mismo modo que demasiado Pitta o Kapha.

Por supuesto, tienen que estar presentes los tres doshas en el organismo, y hasta en cada una de las células del cuerpo. Puede ser bastante complicado precisar el tipo de cuerpo, y cualquier desequilibrio que aparezca, pues las proporciones cambian de manera continua en el curso de la vida. Es preferible que esta evaluación la realice un médico preparado en el Ayurveda. Con todo, para el propósito de este libro, usted podrá identificar su dosha dominante con la ayuda del cuestionario que ofrecemos a continuación. Esta información puede ser muy beneficiosa para reconocer sus conductas adictivas, y las necesidades y vulnerabilidades que subyacen en ellas. Le ruego contestar ya mismo el cuestionario, antes de seguir leyendo.

CUESTIONARIO AYURVEDA MENTE CUERPO

El siguiente cuestionario está dividido en tres secciones. Lea cada afirmación de las primeras veinte preguntas, que se refieren al dosha Vata, y marque de 0 a 6 lo que se aplique a usted.

0 = No se aplica a mí

3 = Se aplica un poco (o a veces)

6 = Se aplica la mayoría de las veces (o casi siempre)

Al final de la sección, anote su total de puntaje Vata. Por ejemplo, si anotó un 6 para la primera pregunta, un 3 para la segunda, y un 2 para la tercera, su puntaje total será: 6 + 3 + 2 = 11. Sume de este modo toda la sección, y llegará a su puntaje final de Vata. Siga adelante con las 20 preguntas para Pitta y para Kapha.

Cuando termine, tendrá tres puntajes diferentes. Al compararlos, podrá determinar su tipo de cuerpo.

En lo referido a los rasgos físicos objetivos, por lo general, su elección será obvia. En cuanto a las características mentales y de comportamiento, que son más subjetivas, deberá responder de acuerdo a lo sentido y actuado la mayor parte de la vida, o al menos durante los últimos años.

SECCIÓN I: VATA

		No se aplica			Se aplica a veces			Se aplica casi siempre
1.	Hago las cosas con rapidez.	0	1	2	3	4	5	6
2.	No soy capaz de memorizar ni de recordar después.	0	1	2	3	4	5	6
3.	Soy entusiasta y vivaz por naturaleza.	0	1	2	3	4	5	6
4.	Soy de físico delgado, no subo de peso con facilidad.	0	1	2	3	4	5	6
5.	Siempre aprendí con gran rapidez.	0	1	2	3	4	5	6
6.	Cuando camino lo hago con paso y rápido.	0	1	2	3	4	5	6
7.	Tiendo a tener dificultades para decidir.	0	1	2	3	4	5	6
8.	Tiendo a tener gases y a constiparme con facilidad.	0	1	2	3	4	5	6
9.	Tiendo a tener las manos y los pies fríos.	0	1	2	3	4	5	6
10.	Me pongo ansioso o preocupado con frecuencia.	0	1	2	3	4	5	6
11.	No tolero el frío tan bien como las demás personas.	0	1	2	3	4	5	6
12.	Hablo con rapidez y mis amigos me consideran conversador.	0	1	2	3	4	5	6
13.	Mi ánimo cambia con facilidad y soy de naturaleza emotiva.	0	1	2	3	4	5	6

		No se aplica — Se aplica a veces — Se aplica casi siempre
14.	Suelo tener dificultades para conciliar el sueño o para dormir bien toda la noche.	0 1 2 3 4 5 6
15.	Mi piel tiende a ser muy seca, sobre todo en invierno.	0 1 2 3 4 5 6
16.	Mi mente es muy activa, a veces inquieta, pero siempre muy imaginativa.	0 1 2 3 4 5 6
17.	Mis movimientos son rápidos y activos; mi energía suele surgir en arranques.	0 1 2 3 4 5 6
18.	Me excito con facilidad.	0 1 2 3 4 5 6
19.	Suelo tener hábitos irregulares para comer y para dormir.	0 1 2 3 4 5 6
20.	Aprendo con rapidez, pero también olvido con rapidez.	0 1 2 3 4 5 6

PUNTUACIÓN VATA ....

SECCIÓN 2: PITTA

		No se aplica — Se aplica a veces — Se aplica casi siempre
1.	Me considero muy eficiente.	0 1 2 3 4 5 6
2.	En mis actividades, suelo ser muy preciso y ordenado.	0 1 2 3 4 5 6
3.	Soy obstinado y tengo una actitud más bien autoritaria.	0 1 2 3 4 5 6

		No se aplica		Se aplica a veces				Se aplica casi siempre
4.	Me siento incómodo o me fatigo con facilidad en clima cálido... en mayor medida que otras personas.	0	1	2	3	4	5	6
5.	Tiendo a transpirar.	0	1	2	3	4	5	6
6.	Aunque no siempre lo demuestre, me irrito o me enfado con bastante facilidad.	0	1	2	3	4	5	6
7.	Si me salteo una comida o se demora, me siento mal.	0	1	2	3	4	5	6
8.	Se pueden aplicar a mi pelo una o más de las siguientes características: • encanezco o pierdo el pelo precozmente • es fino, escaso, lacio • rubio, rojizo o color arena	0	1	2	3	4	5	6
9.	Tengo buen apetito; si quiero, soy capaz de comer en cantidad.	0	1	2	3	4	5	6
10.	Mucha gente me considera obstinado.	0	1	2	3	4	5	6
11.	Tengo hábitos intestinales muy regulares; es más frecuente que tenga intestinos flojos que constipación.	0	1	2	3	4	5	6
12.	Me impaciento con frecuencia.	0	1	2	3	4	5	6

		No se aplica		Se aplica a veces			Se aplica casi siempre	
13.	Suelo ser perfeccionista en los detalles.	0	1	2	3	4	5	6
14.	Me enfado con facilidad, pero también lo olvido pronto.	0	1	2	3	4	5	6
15.	Me gustan mucho los alimentos fríos, como cremas heladas y bebidas frías.	0	1	2	3	4	5	6
16.	Tiendo más a sentir que un ambiente está demasiado caldeado que frío.	0	1	2	3	4	5	6
17.	No tolero las comidas muy calientes y demasiado condimentadas.	0	1	2	3	4	5	6
18.	No soy tan tolerante con los desacuerdos como debería.	0	1	2	3	4	5	6
19.	Disfruto de los desafíos, y cuando quiero algo, mis esfuerzos para lograrlo son muy decididos.	0	1	2	3	4	5	6
20.	Suelo ser demasiado crítico en relación a los demás, y también conmigo mismo.	0	1	2	3	4	5	6

PUNTUACIÓN PITTA ....

SECCIÓN 3: KAPHA

		No se aplica		Se aplica a veces				Se aplica casi siempre
1.	Mi tendencia natural es hacer las cosas de un modo lento y relajado.	0	1	2	3	4	5	6
2.	Subo de peso con más facilidad que los demás, y soy más lento para perderlo.	0	1	2	3	4	5	6
3.	Tengo un carácter plácido y sereno... no me altero con facilidad.	0	1	2	3	4	5	6
4.	Puedo saltearme comidas sin dificultad sin sufrir por ello.	0	1	2	3	4	5	6
5.	Tiendo al exceso de mucosidad o flema, a las congestiones crónicas, asma o problemas sinusoidales.	0	1	2	3	4	5	6
6.	Para sentirme bien al día siguiente, necesito al menos ocho horas de sueño.	0	1	2	3	4	5	6
7.	Gozo de sueño profundo.	0	1	2	3	4	5	6
8.	Soy calmo por naturaleza, y no me enfado con facilidad.	0	1	2	3	4	5	6
9.	No aprendo tan rápido como otros, pero tengo excelente retención y memoria perdurable.	0	1	2	3	4	5	6

		No se aplica		Se aplica a veces				Se aplica casi siempre
10.	Tiendo a volverme rollizo. Almaceno grasa extra con facilidad.	0	1	2	3	4	5	6
11.	El clima frío y húmedo me molesta.	0	1	2	3	4	5	6
12.	Tengo el pelo grueso, oscuro y ondulado.	0	1	2	3	4	5	6
13.	Tengo la piel tersa, suave, de color más bien pálido.	0	1	2	3	4	5	6
14.	Soy de contextura grande y robusta.	0	1	2	3	4	5	6
15.	Las siguientes palabras me describen bien: sereno, de carácter dulce, afectuoso y perdono con facilidad.	0	1	2	3	4	5	6
16.	Soy de digestión lenta, y esto me hace sentir pesado después de comer.	0	1	2	3	4	5	6
17.	Soy vigoroso y tengo resistencia física, así como un nivel de energía parejo.	0	1	2	3	4	5	6
18.	Por lo general, camino con paso lento y mesurado.	0	1	2	3	4	5	6
19.	Tiendo a dormir demasiado y a estar aturdido al despertarme, y suelo ser lento para entrar en actividad por la mañana.	0	1	2	3	4	5	6

		No se aplica	Se aplica a veces	Se aplica casi siempre
20.	Como con lentitud, y soy de actos lentos y metódicos.	0 1 2 3 4 5 6		

PUNTUACIÓN KAPHA 42

PUNTUACIÓN FINAL

80	48/49	42
VATA	PITTA	KAPHA

CÓMO DEFINIR SU TIPO DE CUERPO

Ahora que ha sumado los puntos, podrá determinar su tipo de cuerpo. Si bien hay sólo tres tipos de dosha, el Ayurveda los combina de 10 maneras posibles, y define así 10 tipos de cuerpo diferentes.

- Si una puntuación es mucho más alta que las otras, lo más probable es que su tipo sea de un solo dosha.

  Tipos de un solo dosha
  Vata
  Pitta
  Kapha

No cabe duda de que usted es de un solo dosha, si la valoración de uno de ellos es el doble de otro (por ejemplo, Vata: 90, Pitta: 45, Kapha: 35), pero también puede aplicarse un margen menor. En los tipos de un solo dosha, las características de Vata, Pitta o Kapha son muy evidentes. El siguiente con más alta puntuación se manifestará en sus tendencias naturales, pero será mucho menos definido.

- Si no domina ningún dosha, usted es de dos doshas.

  Tipos de dos doshas
  Vata-Pitta o Pitta-Vata
  Pitta-Kapha o Kapha-Pitta
  Vata-Kapha o Kapha-Vata

Si es de dos doshas, predominarán los rasgos de los dos dominantes. Aquél en el que haya conseguido más puntos predominará en su tipo de cuerpo, pero los dos son importantes.

La mayoría de las personas es de dos doshas. Un tipo de dos doshas puede tener una puntuación como ésta: Vata: 80; Pitta: 90; Kapha: 20. Si su prueba dio este resultado, puede considerarse un tipo Pitta-Vata.

- Si las tres puntuaciones resultan casi iguales, es posible que sea un tipo de tres doshas.

Tres dosha:
Vata-Pitta-Kapha

No obstante, este último es considerado el menos frecuente de todos. Revise otra vez sus respuestas o pida a un amigo que lo haga. También puede releer las descripciones de Vata, Pitta y Kapha en las páginas 40 a 44, para ver si en su constitución predomina uno o dos de los doshas.

LOS TRES DOSHAS Y SUS CARACTERÍSTICAS

Según el Ayurveda, conocer su tipo de cuerpo es el primer paso, y el más importante, hacia la genuina salud. Esto se aplica, sobre todo, al tratamiento de las adicciones. Aunque los tres doshas deben estar presentes para sustentar la vida, pocas veces se los encuentra en proporciones similares en cada individuo, y es fundamental reconocer si la influencia principal es Vata, Pitta o Kapha. Conociendo su dosha dominante, podrá saber en qué áreas podrá ser vulnerable cuando esté bajo tensión física o emocional; y también decidir qué clase de actividades y cambios en su estilo de vida contribuirán mejor a recuperar el equilibrio de mente y cuerpo.

VATA

Como el viento en la pradera, Vata está siempre en movimiento, cambiante, siempre invirtiendo la dirección. Los tipos Vata son mucho más variables que los Pitta o los Kapha, y es mucho más difícil predecir su conducta de un día para el otro. En la gente de este dosha surgen de pronto estallidos de energía, tanto mental como física, y luego se desvanecen con la misma rapidez. Ya sea caminando, comiendo o decidiendo cuándo irse a dormir, son siempre inconstantes. Este rasgo también está presente en la digestión, los estados de ánimo y las emociones, y en la salud en general. Por ejemplo, los Vata son especialmente vulnerables a enfermedades de menor importancia, como enfriamientos o gripe.

CARACTERÍSTICAS DEL TIPO VATA

- Constitución ligera y delgada
- Realiza las actividades con rapidez
- Hambre y digestión irregulares
- Sueño ligero, interrumpido; tendencia al insomnio
- Entusiasmo, vivacidad, imaginación
- Excitabilidad, carácter cambiante
- Rápido para absorber información, y también para olvidarla
- Tendencia a la preocupación

- Tendencia al estreñimiento
- Se cansa con facilidad, tiende a la fatiga excesiva
- La energía mental y física llegan en explosiones

Es muy propio de Vata:

- Tener hambre a cualquier hora del día y de la noche
- El gusto por la excitación y el cambio constantes
- Acostarse a diferentes horas todas las noches, saltearse comidas y, en general, tener hábitos irregulares
- Digerir bien un día y mal el siguiente
- Caminar de prisa
- Manifestar estallidos emotivos de corta vida, que olvida con rapidez

PITTA

Como una llama al rojo vivo, la cualidad que define a Pitta es la intensidad. Esta asociación con el calor es evidente hasta en las características físicas, que suelen tener pelo rojizo y cutis sonrosado. Los Pitta son ambiciosos por naturaleza, e incluso activos, tienen un estilo de expresión audaz y tienden a discutir si se los enfrenta. Cuando están en equilibrio, los tipos Pitta son afectuosos, exhiben rostros que resplandecen de calidez, y la felicidad es característica de este dosha. Sólo cuando están bajo tensión, con una dieta inapropiada, sufriendo otras influencias desestabilizadoras, surge el costado crítico de la naturaleza Pitta.

CARACTERÍSTICAS DEL TIPO PITTA

- Constitución mediana
- Fuerza y resistencia medias
- Hambre y sed agudos, digestión fuerte
- Tendencia a enfadarse o irritarse bajo tensión
- Piel pálida o rojiza, con frecuencia pecosa
- Aversión al sol, al clima cálido
- Carácter emprendedor, le gustan los desafíos
- Inteligencia aguda
- Habla precisa y articulada
- No puede saltearse las comidas
- Pelo rubio, castaño claro o rojizo (o con reflejos cobrizos)

ES MUY PROPIO DE PITTA:

- Sentirse famélico si la cena se atrasa media hora
- Vivir pendiente del reloj y detestar la pérdida de tiempo

- Despertarse de noche acalorado y con sed
- Hacerse cargo de una situación o creer que debería hacerlo
- Aprender por experiencia que, a veces, los demás le consideran demasiado exigente, sarcástico o crítico
- Caminar con paso decidido

KAPHA

Kapha es el dosha más calmo y estable, y es mucho más difícil que se desequilibre que en el caso de Vata o Pitta. Kapha aporta estructura y energía al organismo, y estas características son evidentes en la constitución robusta de la mayoría de los tipos Kapha. Son serenos y optimistas por naturaleza. Tardan en enfadarse, y prefieren considerar todos los puntos de vista antes de adoptar la posición propia. Pero cuando se desequilibran, pueden mostrarse letárgicos e indecisos. Los benefician los ejercicios vigorosos y una dieta que contraste con su tendencia al sobrepeso. Pese a esos puntos vulnerables, el Ayurveda describe a las personas Kapha como afortunadas: son personas de índole cariñosa y considerada, y su fuerza física innata les brinda protección contra todo tipo de enfermedades.

Características del tipo Kapha

- Complexión sólida y fuerte; gran fuerza y resistencia físicas
- Energía firme; movimientos lentos y elegantes
- Personalidad tranquila, relajada; lentos para enfadarse
- Piel fresca, suave, gruesa, pálida y, con frecuencia, grasa
- Lentos para captar información, pero con buena retención
- Sueño pesado, prolongado
- Tendencia a la obesidad
- Digestión lenta, hambre moderada
- Afectuosos, tolerantes, benévolos
- Suelen ser posesivos y complacientes

Es muy propio de Kapha:

- Reflexionar las cosas largo tiempo antes de adoptar una decisión
- Despertar lentamente, quedarse en la cama largo rato y necesitar un café antes de despabilarse
- Sentirse satisfechos con el statu quo y ser conciliadores con los demás para conservarlo
- Respetar los sentimientos de otros (hacia los que siente genuina empatía)
- Buscar consuelo emocional en la comida

- Tener movimientos elegantes, ojos líquidos, andar deslizante, aunque estén con sobrepeso

En la Segunda Parte, hablaremos de casi todos los comportamientos adictivos más comunes, prestando atención especial a la relación entre cada uno de esos comportamientos y los doshas. Como el Vata desequilibrado es responsable de los actos impulsivos y de la inestabilidad nerviosa, cobra particular importancia apaciguar este dosha para poder controlar la adicción. El Pitta desequilibrado es la base de un sentido exagerado de autocontrol que ciertos adictos se atribuyen, y que los hace expresar convicciones como ésta: "Yo puedo dejarlo cuando quiera" o "Puedo beber cuanto quiera, y no me afectará en absoluto". Por otra parte, es cierto que estos tipos de persona pueden tolerar más abuso de sustancias que otros. Unido a esto, la tendencia natural de los Kapha hacia la inercia y la lentitud para cambiar, hace que, en ocasiones, un adicto de este tipo represente un desafío para el tratamiento.

Lo insto con fervor a que lea todos los capítulos de la Segunda Parte, aunque determinada adicción no se aplique a su caso personal. Entender los comportamientos adictivos un poco diferentes del propio puede darle un valioso sentido de perspectiva. Además, le ayudará a entender lo que sienten los no adictos: amigos, familiares o compañeros de trabajo, cuando les toca tratar con el complejo fenómeno psicológico de la adicción aunque esté muy lejos de su propia experiencia.

En la Tercera Parte, ofrecemos estrategias específicas para apaciguar el Vata desequilibrado, fundamental en toda adicción. Una vez logrado, se puede recuperar el equilibrio del organismo como un todo. Podrá empezar a experimentar la verdadera alegría de vivir, que el comportamiento adictivo impide.

Si bien la información de este libro puede resultar muy beneficiosa, le ruego que tenga en cuenta que no pretende sustituir la atención profesional de problemas de salud que podrían llegar a ser graves. El origen de la adicción obedece a una mezcla de factores personales, ambientales y sociales. Al mismo tiempo que insisto en que asuma la responsabilidad por su salud, también le pido que tenga conciencia de las influencias que podrían escapar a su control o de las que, incluso, puede no tener noticia. En todo caso, le ruego consultar con su médico antes de adoptar cualquier nuevo programa de dieta o ejercicios como los que detallo en la Tercera Parte. Esto tiene particular importancia en el caso de que su estado de salud esté debilitado por un largo comportamiento adictivo.

SEGUNDA PARTE

La experiencia de la adicción

5

Adicción al alcohol

En nuestra sociedad actual, el alcohol, ya sea en la cerveza, el vino o los licores de alta graduación, cumple varias funciones, tal como sucedió en los primeros períodos de la historia escrita. En la Misa Católica, en el servicio de la Pascua Judía, y en los rituales de muchas otras religiones, el alcohol tiene una función ceremonial, hasta sagrada. En Estados Unidos, bebemos champán para celebrar las ocasiones felices, y vemos innumerables anuncios de televisión que nos recuerdan que beber mucha cerveza significa pasarlo muy bien. Ésta es la consecuencia de una larga tradición occidental. Un historiador, al describir la importancia del alcohol en la vida social del siglo XVII en Inglaterra, escribió que la bebida "estaba entretejida en la vida social. Participaba en casi todas las ceremonias públicas y privadas, en cada intercambio comercial, en todo ritual de trabajo, en cada situación privada de duelo o de regocijo".

Sin embargo, paralelamente al papel predominante del alcohol, existe una larga tradición de hostilidad hacia la bebida. En Estados Unidos, esa hostilidad alcanzó un alto grado durante el período de la Prohibición de la década de los veinte y comienzos de la del treinta. Pero aun sin la prohibición, el consumo de alcohol entre la población norteamericana ha estado descendiendo con los años, después de llegar a un máximo hace más o menos 150 años. En 1830, el consumo de alcohol puro estimado per cápita era de 32,28 litros por año, mientras que en 1989 la cifra fue de sólo 11,05.

Sin embargo, la cifra de 1989 representa 576 latas de cerveza por cada norteamericano: es evidente que el consumo de bebida sigue siendo bastante elevado. Pero la mayor parte de ese consumo corresponde a un número relativamente pequeño de personas: según estudios, sólo el 10 por ciento del total de bebedores consume el 50 por ciento de las bebidas alcohólicas. Dentro de ese 10 por ciento se encuentra el grupo de individuos alcohólicos y dependientes del alcohol, a los que se dirige, principalmente, este capítulo.

Como dijimos con respecto a mi joven paciente Ellen, y su adicción a la droga, creo que es fundamental reconocer los placeres que proporcionan las sustancias adictivas tanto como sus efectos destructivos. Por cierto, hay muchos placeres derivados del uso del alcohol, y hasta se han documentado beneficios para la salud. Claro que, en cuanto el "uso" se convierte en "abuso", los peligros sobrepasan a los efectos positivos, como quedará demostrado.

Es lícito preguntarse cómo empezamos los seres humanos a beber alcohol. Según los historiadores, es posible que el hombre primitivo viera animales comiendo frutas fermentadas y advertido los efectos notables que provocaba en el comportamiento de éstos. Seguramente, algún individuo audaz decidiera descubrir la causa de que el ciervo se tambaleara. A partir de entonces, no pasaría mucho tiempo para que las personas comenzaran a producir bebidas alcohólicas con destreza altamente desarrollada, o hasta con arte.

Durante muchos miles de años, las bebidas alcohólicas y las técnicas para fabricarlas han estado entretejidas en la trama de la civilización humana. El descubrimiento reciente, en Irán, de un recipiente que contenía residuos de alcohol indica que en el Oriente Medio se producía vino. Un historiador observó que hay sólo dos innovaciones universales, compartidas por todas las culturas. La primera de ellas es la creación de alguna forma de pan o pasta, y la segunda, el "descubrimiento y el uso del proceso de fermentación natural". Desde luego que el vino se menciona con frecuencia en la Biblia, con connotaciones positivas y negativas. El antiguo historiador griego Herodoto cuenta que los gobernantes del imperio persa no llegaban a ninguna decisión final acerca de cualquier cuestión importante hasta no haberla discutido estando sobrios y estando ebrios. Y uno de los diálogos más bellos e importantes de Platón, la discusión sobre el amor, titulada *El banquete*, narra la franca conversación en una orgía de bebida. También Shakespeare menciona con frecuencia (y celebra) la bebida, que ha tenido un lugar importante en la obra de innumerables escritores y artistas... por no hablar de lo que ha significado en sus propias vidas.

Además de la importancia histórica del alcohol mismo, el acto de beber ha sido la base de instituciones sociales que siguen siendo importantes en el presente. El programa de televisión *Cheers* muestra una taberna en un vecindario como una especie de paraíso: un ambiente cálido, donde se encuentra un grupo de viejos amigos, para conversar y meterse en divertidas complicaciones. Pocas veces la acción sale de la taberna y, de hecho, si lo hiciera, socavaría el significado mismo del programa. La taberna puede ser un refugio, un lugar seguro en el que desaparecer, como lo sugiere el título del cuento de Ernest Hemingway, referido a un café español: *A Clean, Well-Lighted Place* (Un lugar limpio y bien iluminado).

No hay duda de que los lugares de reunión organizados en torno de la bebida pueden brindar beneficios emocionales, lo mismo que cualquier experiencia verdadera de felicidad y relajación brinda bienestar psicológico. Más aún, tanto el punto de vista médico como popular acerca del alcohol ha sido modificado por estudios que demuestran que beber de manera moderada reduce el riesgo de ataques cardíacos. Si bien este beneficio tiene relación con cambios en la química de la sangre, también podría derivar de niveles reducidos de tensión tanto como de cualquier efecto bioquímico.

Desde tiempos prehistóricos, el alcohol ha tenido una participación variada pero muy importante en la experiencia humana. Por un lado, ha sido usado en sacramentos y en ceremonias religiosas, como un modo de entrar en contacto con los dioses. Por otro, el alcohol ha ayudado a acercar a las personas entre sí. En este doble carácter, sagrado y profano, puede compararse con el fuego como principio estructural de nuestras vidas. Y aquí también: es fácil que el fuego quede fuera de control.

Las bebidas alcohólicas se pueden considerar como simples bebidas, pero también como drogas. De hecho, el alcohol es la droga de la que más se abusa en Estados Unidos. Un estudio importante afirma que el alcohol cubre un 85 por ciento del total de los problemas de adicción a las drogas en Estados Unidos. Además, existen indicios de que un 13.5 por ciento del total de la población cumpliría con los criterios de diagnóstico que definen la adicción al alcohol o la dependencia de éste, en algún momento de su vida.

Las consecuencias de esas estadísticas son en extremo graves, tanto para el individuo como para la sociedad. Ciertas formas de cáncer, por ejemplo, están concretamente asociadas al exceso de bebida, y hasta un 75 por ciento de las muertes de cáncer de esófago se relacionan con el alcohol. El cáncer de hígado también es una complicación frecuente de la destrucción general del organismo provocada por una excesiva ingesta de alcohol. Una adicción prolongada al alcohol también puede causar daños en páncreas, estómago e intestino delgado, del mismo modo que deteriora las funciones mentales. A decir verdad, una lista detallada de la devastación provocada en el organismo por el abuso de alcohol, llevaría muchas páginas, tantas como la factura del coste del tratamiento.

Los riesgos del alcohol no se limitan a los efectos bioquímicos. Aunque en los últimos años se han hecho progresos significativos, la elevada correlación entre el exceso de bebida y los accidentes automovilísticos es bien conocida; más o menos la mitad del total de muertes provocadas por vehículos de motor siguen estando relacionadas con el alcohol. En el 60 por ciento de los accidentes fatales de navegación aparece el alcohol. Además, cada año mueren unas 30.000 personas como resultado de accidentes de variado tipo pero no relacionados con vehículos a motor. Es importante destacar que estas cifras no se refieren sólo a víctimas en estado de gran intoxicación alcohólica. Casi cualquier uso del alcohol aumenta de manera notable las posibilidades de heridas accidentales.

Los problemas derivados del abuso de alcohol también son muy significativos en un nivel menos importante. Por ejemplo, la bebida es causa frecuente de insomnio. También se puede asociar la obesidad con el alcohol, como una forma de anorexia que abunda entre los grandes bebedores; algunos de estos no comen casi nada y reciben todo su aporte alimenticio de las calorías del alcohol. Por otra parte, las resacas suelen ser muy desagradables, y pese a los muchos remedios populares para resolverlas, aún no se comprende del todo el mecanismo biológico al que obedecen.

Repito, éste es sólo un breve vistazo al infierno de castigos que aguardan al que abusa del alcohol. Con todo, es importante observar con mayor atención lo que constituye el uso "fuerte", y la diferenciación que se ha trazado entre la dependencia del alcohol y el comportamiento realmente adictivo.

DEPENDENCIA Y ADICCIÓN AL ALCOHOL

Como médico entrenado en el Ayurveda, me inquieta la idea de la existencia de una línea nítida entre los elementos físicos, mentales, emocionales y espirituales de nuestra naturaleza. Si tenemos en cuenta que cada pensamiento y sentimiento tiene una manifestación física en nuestro organismo, resulta claro que la mente y el cuerpo son, en realidad, una sola cosa. Aun así, tal vez se podría hacer una diferenciación útil entre la dependencia y la adicción al alcohol, separando las experiencias que se perciben más bien como emocionales, de las que dan lugar a sensaciones físicas inconfundibles. Por otra parte, se puede distinguir la expresión adicción al alcohol de la dependencia, comprobando la presencia de elementos negativos muy nítidos en la vida del bebedor: dificultades en el trabajo, problemas legales y económicos, y conflictos familiares que, a menudo, llegan a la violencia. Por el contrario, la dependencia del alcohol es una categoría más difusa, en la que la bebida impide u obstaculiza de cualquier manera la libertad de la persona para gozar de la vida, por insignificante que parezca esta intromisión.

Una vez, yo viajaba con un amigo que disfrutaba del vino en las comidas, como millones de personas en todo el mundo. Sin advertirlo, fuimos a dar a un restaurante que no tenía permiso para vender alcohol, y entonces comprobé que mi amigo no disfrutaba, simplemente, del vino en las comidas; más bien, no podía disfrutar de la cena sin el vino. Cuando supimos que en ese restaurante no se servía, comer allí quedó descartado, pues eso hacía que mi amigo sintiera una auténtica desdicha. "No puedo comer sin vino", se disculpó, triste, mientras buscábamos otro restaurante. Sufría una necesidad inexorable, permanente de alcohol a ciertas horas del día. Si no había alcohol en sus comidas, se sentía sumamente incómodo y le urgía remediar la situación. Sin embargo, a diferencia de un alcohólico declarado, no se descomponía físicamente cuando estaba privado de alcohol, y tampoco era visible el modo en que este problema afectaba las circunstancias externas de su vida. Si bien el alcohol desempeñaba un papel reducido y concreto en su vida, dependía de él, según mi interpretación del término.

Al contrario que la dependencia, el alcoholismo plenamente desarrollado —es decir, la adicción al alcohol—, puede definirse de un modo más concreto que la dependencia y se identifica a través de un número limitado de rasgos y características bien documentados.

- *Prioridad.* Beber es el eje del día del alcohólico. Se cambian de horario o se sacrifican importantes actividades para facilitar el acto de beber, a pesar de las dificultades que esto pueda causar. Del mismo modo, el alcohólico reconoce ciertos momentos del día en que no tiene otra alternativa que beber, y con ese fin realiza todas las modificaciones necesarias para asegurarse de que esto sea posible.
- *Aumento de la tolerancia.* Con el tiempo, se necesitan mayores cantidades de alcohol para obtener los efectos esperados.
- *Síndrome de abstinencia.* A medida que aumenta la tolerancia al alcohol, también crecen los síntomas desagradables, incluso dolorosos de la abstinencia. Algunos son: temblores, insomnio, agitación, ansiedad y confusión. Llega un momento en que se forma un círculo vicioso, y el mayor motivo para beber alcohol termina siendo la evitación de esos síntomas. El alcohólico bebe más para evitar las consecuencias de no beber, pero beber más empeora esas consecuencias.

• *Ansias.* Existe un abrumador deseo o necesidad de beber, sobre todo cuando se intenta reducir la cantidad. Hasta cuando tiene una copa en la mano, el alcohólico puede sentir necesidad de otro trago. Estando en un bar o en una taberna, suele ocurrir que pida otra copa antes de terminar la primera.

• *Conflicto interno.* A medida que la necesidad de beber se agrava y empieza a quedar fuera de control, se presentarán períodos en los que el alcohólico siente deseos de dejar de beber, y hasta lo logrará por un tiempo. Pero cuando reanude la bebida, volverá a las pautas conocidas, ya establecidas.

• *Problemas externos.* Casi se podría asegurar que en la vida del alcohólico se presentarán problemas en el trabajo, con los amigos y la familia, y con la policía. Para evitar esos problemas, el adicto se hará más discreto para beber, y tal vez esconda botellas en casa o en el trabajo.

DE LA DEPENDENCIA A LA ADICCIÓN

No es de extrañar que la dependencia del alcohol evolucione hasta convertirse en una adicción plena. El investigador E. M. Jellinek, en una serie de conferencias pronunciadas en la Universidad de Yale, describió este pasaje con gran detalle. Estas conferencias derivaron de cuestionarios respondidos por más de 2.000 alcohólicos, y constituyen la base del "modelo de enfermedad" del alcoholismo que es, en el presente, un enfoque de enorme influencia en el tratamiento de este problema. Como resultado de su investigación, Jellinek pudo identificar etapas específicas y predecibles de la "enfermedad" alcohólica, aun cuando pueden pasar muchos meses, hasta años, entre la aparición de una y otra. Desde este punto de vista, se puede entender el alcoholismo como una enfermedad crónica, sistemática, degenerativa, análoga a enfermedades causantes de discapacidad, como la sífilis o la esclerosis múltiple. Si bien Jellinek reconoció que ciertos bebedores nunca pasan de la etapa "habitual" que relacionamos con la dependencia del alcohol, llegó a la conclusión de que la adicción pasa por cuatro etapas.

EL MODELO DE ENFERMEDAD DEL ALCOHOLISMO

Primera etapa

Cuando consume alcohol, el sujeto experimenta una notable reducción de la fatiga y bajos niveles de tensión. Durante un período de entre seis meses y dos años, el futuro alcohólico comienza a beber casi todos los días para lograr esa relajación. Por lo general, tiene mayor tolerancia al alcohol que el promedio de las personas.

Segunda etapa

Cuando, de súbito, comienzan a aparecer los apagones de memoria, se ha llegado a la segunda etapa del alcoholismo. Estos apagones, por lo común, se refieren a la memoria intermedia, a actividades o conversaciones acaecidas el día anterior a un período de bebida. El recuerdo de hechos anteriores y posteriores a ese hueco permanece intacto. En esta etapa, el sujeto empieza a advertir que su consumo de bebida ha llegado a un nuevo nivel, y empieza a asociar la tensión o la culpa con esa actividad. Es probable que comience a beber a escondidas.

Tercera etapa

En la exposición original de Jellinek, esta sería la fase crucial en la que el bebedor pasa de una intención más o menos controlada a un comportamiento descontrolado. Ahora, el adicto reaccionará de inmediato a la tensión con el reflejo de beber, y hasta será capaz de provocar incidentes para justificar el hecho de beber. Es frecuente que comience el día con una copa, y pase la velada embriagándose seriamente. Esta etapa puede durar años, en los cuales el adicto es capaz de retener un trabajo y de funcionar en sociedad, aunque las relaciones cercanas comienzan a deteriorarse.

Cuarta etapa

Jellinek denominó a esta etapa de la adicción al alcohol como fase crónica, y se distingue por prolongados períodos de ebriedad. Aparecen problemas graves relacionados con la salud física y mental, con las relaciones personales y profesionales, y con la policía. Cada abstinencia, aunque sea breve, produce síntomas dolorosos y atemorizantes, y el adicto bebe para evitarlos. La tolerancia al alcohol disminuye de golpe, y ahora, aun pequeñas cantidades de alcohol provocan ebriedad.

Durante esta cuarta etapa del modelo de Jellinek, una mayoría de alcohólicos (alrededor de un 60 por ciento), atraviesan una experiencia que tiene importantes consecuencias en el posterior tratamiento de la enfermedad. Cuando estas personas "tocan fondo", y se sienten atrapadas por una desesperación total, de manera inesperada viven un nuevo despertar espiritual. Empiezan a convocar a un espíritu superior que los rescate de las profundidades en que se han sumido. Un pequeño porcentaje de alcohólicos vive un momento de revelación dramática, similar a una conversión religiosa, en la que reconoce que está en manos de un destino supremo. En otras palabras, vive una especie de éxtasis.

Este trascendente fenómeno está tan bien registrado como las otras etapas de la enfermedad del alcoholismo. Quizá podría interpretarse la enfermedad misma como un intento desviado de llegar a este punto: un descenso al infierno, que debe de preceder a la visión del paraíso. En referencia a esto, podría ser útil recordar nuestro comentario del capítulo 1, en el que califiqué al adicto como un buscador desorientado, y citar una carta del psicólogo Carl Jung, en la que ofrece una analogía explícita entre la adicción y el infierno:

> *Estoy persuadido de que el principio del mal que prevalece en el mundo conduce a la necesidad espiritual no reconocida de la perdición, si no se le contrapone la visión religiosa auténtica o la protectora contención de la comunidad humana. Un hombre común, carente de la protección de una*

acción desde arriba y aislada de la sociedad, no puede resistir el poder del mal, que se llama, con acierto, Demonio... "Alcohol", en latín es "spiritus"; la misma palabra para la más elevada experiencia religiosa y para el veneno más corruptor.

Si el retruécano no fuese demasiado forzado, se podría observar que, para una cantidad importante de personas, la "solución espiritual" del alcohol, lleva a la solución espiritual para el alcoholismo. En *Las variedades de la experiencia religiosa*, el filósofo William James escribió que la verdadera cura para el exceso en la bebida es la religión apasionada. Estoy tentado de ir aún más lejos, y afirmar que la *única* cura para una adicción de cualquier clase es el descubrimiento de una espiritualidad interior, sentida en profundidad. Entonces, sobre esta base, el adicto en recuperación podrá empezar a hacer cambios prácticos en su vida, necesarios para una transformación real.

¿EL MILAGRO O LA MÁQUINA?

Una mirada rápida a algunos de los muchos tratamientos alternativos del alcoholismo ayudaría a aclarar mi creencia en el enfoque espiritual. La antítesis de éste podría ser, por ejemplo, el uso de drogas antagonistas del alcohol, la más común de las cuales es el Antabuse*. Esta droga actúa bloqueando la capacidad del organismo para metabolizar normalmente el alcohol, y de este modo provoca un rápido aumento de las toxinas cada vez que se ingiere una copa. Muy pronto, aparecen violentas náuseas, dolor de cabeza, un descenso brusco de la presión sanguínea y un intenso temor a la muerte. Según un término de la escuela behaviorista, la droga produce un refuerzo negativo inmediato de la bebida: en otras palabras, castigo. Los efectos de la droga pueden ser fatales, incluso, y como el adicto lo sabe, ejercerá sobre él una fuerte acción inhibitoria.

Para ciertos individuos, el miedo provocado por esa droga puede ser eficaz. Como la droga permanece en el organismo durante más de 72 horas después de haber ingerido la última dosis, si el adicto siente un impulso repentino de beber, por lo menos lo pensará dos veces antes de abrir la botella, aunque haya dejado de ingerir la droga varios días antes. Pero no se ha tocado, en realidad, el impulso de beber, ni tampoco se ha vuelto a despertar el recuerdo de la perfección interior. Más bien, este tratamiento químico a través del dolor que siente

---

* Nombre dado en Estados Unidos a esta droga *(N. de la T.)*.

el alcohólico que se esfuerza por recuperarse lo amenaza con más dolor si su esfuerzo no tiene éxito.

Bajo los enfoques en forma de confrontación, de persona a persona, que tratan el alcoholismo, subyace una clase de dolor diferente. En este caso, el terapeuta y/o los otros adictos en tratamiento, informarán de manera agresiva del daño que causa la bebida y de la naturaleza autoengañosa de los pensamientos y acciones del alcohólico. Elementos de este enfoque desempeñan un papel en muchos programas de tratamiento con internación, y también, hasta cierto punto, de Alcohólicos Anónimos. Como en el caso de la droga mencionada, la confrontación puede brindar beneficios; desde el punto de vista ayurvédico, podría resultar más atractivo para los tipos Pitta, que suelen afirmar su total dominio de la situación, por mucho que se les haya escapado de las manos. Sin embargo, la experiencia de la confrontación podría irritar aún más a un Pitta ya desequilibrado, y podría causar más daño que bien. Por último, es tan probable que esta confrontación levante las defensas del adicto como que las baje, y hay estudios que indican que elevados niveles de confrontación también pueden provocar elevados niveles de resistencia.

La terapia de apoyo, orientada al esclarecimiento interior, que es ampliamente aplicada no sólo para el abuso de sustancias sino también para los problemas emocionales, se basa en la idea de que la conducta del alcohólico tiene origen en un conflicto interno que disminuirá cuando se comprenda mejor. Se considera al alcoholismo como el síntoma de un problema subyacente en la psiquis del alcohólico. Ésta es, hasta cierto punto, una verdad evidente, sin discusión. Pero, como aclara el médico Arnold Ludwig en su libro, *Understanding the Alcoholic Mind* (Entender la mente del alcohólico), la terapia de apoyo también tiene límites, ya sea individual o grupal.

Para explicar esos límites, Ludwig propone el término "aprendizaje dependiente de la condición". Se refiere al hecho de que nuestra capacidad para captar una idea o nuestra experiencia de una potente revelación interna tal vez no sea trasladable a los diversos estados en que podamos encontrarnos. Esto se aplica sobre todo a un hábito de tanta fuerza adictiva como el alcoholismo, que puede llegar a dominar la vida cotidiana de un individuo salvo, quizás, en las sesiones terapéuticas.

Cuando un grupo de alcohólicos se reúne en torno de una mesa con un terapeuta entrenado, puede surgir importante información, que contribuya a comprender influencias pasadas y presentes en esa conducta. Se genera un estado de ánimo reflexivo, en el que las personas están ansiosas por aprender y cambiar. Es un entorno único, tanto en el aspecto físico como emocional, muy diferente al de un bar, un restaurante o un hogar en los que la fatiga o la tensión podrían disparar las ganas de beber. Más aún, en cuanto empieza a beber, el alcohólico suele convertirse en una persona muy diferente de la que fue durante la sesión de terapia. Es probable que olvide por completo la sesión, del mismo modo que sería incapaz de recordar lo que dijo o hizo mientras bebía. Esta clase de amnesia aparece en varios niveles de intoxicación, y el doctor Ludwig, irónico, sugiere en su libro la posibilidad de realizar sesiones de terapia de esclarecimiento mientras los pacientes están emborrachándose. No tiene la pretensión de ser una opción realista, sino de dar relieve dramático al problema que enfrenta un alcohólico cuando intenta llevar los beneficios terapéuticos de un ambiente a otro.

Alcohólicos Anónimos se ocupa del potencial que tiene la bebida para convertir al adicto en una persona diferente y, por cierto, esta organización encarna una de las más importantes formas de abordar el alcoholismo que se hayan desarrollado jamás. Al subrayar la importancia de evitar el primer trago, AA insta al adicto a evitar los efectos destructivos del alcohol aun antes de empezar. Es necesario hacerlo así, pues, en cierto sentido, los efectos destructivos están siempre presentes para el adicto: siempre es alcohólico, con toda la vulnerabilidad que eso implica, ya sea que esté bebiendo en la actualidad o no. El Doceavo Paso expresa con claridad lo que el adicto debe entender: que es *impotente* frente al alcohol, y que en cuanto beba el primer trago, un miembro de larga data de AA no está más sobrio que un bebedor que jamás oyera hablar de la organización.

Se han escrito muchos libros sobre Alcohólicos Anónimos, y también evaluaciones científicas y relatos personales. Propongo a cualquiera que esté preocupado por el problema que averigüe más acerca de esta organización, ya sea leyendo o asistiendo a una reunión abierta de algún grupo de AA. Para el propósito de este libro, y sin entrar en demasiados detalles, me gustaría puntualizar lo que considero beneficioso en el enfoque de AA y también lo que me parece erróneo.

Uno de los puntos fuertes de Alcohólicos Anónimos y de los otros programas de doce pasos que ha inspirado es el reconocimiento de un poder espiritual superior, al que es preciso convocar para resolver el problema de la adicción. Además, el carácter puramente voluntario de la organización y la ausencia de una estructura jerárquica o de una presencia autoritaria, permiten que el adicto asuma la responsabilidad plena de su recuperación.

Pero, a mi juicio, el aspecto más notable de AA es que sólo se menciona al alcohol en el primero de los doce pasos, cosa que tiene por lo menos dos importantes efectos. Primero, señala que alcoholismo no es una simple cuestión de lo que hay en el vaso sino de lo que hay en la mente y en el corazón. Más aún, ofrece al adicto en recuperación la posibilidad de comprender que el acto de beber no es sólo un conflicto sino una oportunidad, el primer peldaño de una escala de desarrollo de uno mismo, capaz de conducir a la plenitud espiritual. Los Doce Pasos de Alcohólicos Anónimos no son sólo un programa para convertirse en una persona sobria sino para convertirse en una gran persona, en todas las áreas de la vida.

Por mucho que admire estos aspectos de AA, me incomoda lo que me parece un elemento de temor en el programa de recuperación. Por cierto, muchos alcohólicos han desarrollado mecanismos de autoengaño que es necesario quebrar, pero el énfasis de AA en la impotencia del adicto me resulta inquietante. Caminando por la cuerda floja que se tiende entre la fuerza malvada del alcohol, por un lado, y la gracia salvadora de un poder espiritual superior por el otro, la verdadera naturaleza del adicto permanece ignota y, quizás, hasta irrelevante. Se reduce todo a ser lo que hace, y ni él mismo puede saber lo que hará de un día para el otro. Como dice el lema más conocido de AA: "Un día a la vez".

Desde la perspectiva ayurvédica, la esencia de la naturaleza humana no es tan imprecisa. De niños, todos tenemos risa en nuestros corazones y encontramos alegría en lo que nos rodea. Ese niño feliz sigue estando dentro de nosotros, en cada célula de nuestro ser, y el impulso natural hacia la salud y la felicidad siempre está presente. No somos neutros en el aspecto emocional ni espiritual, ni estamos tan inclinados a dañarnos a nosotros mismos como al bien. Nuestra verdadera orientación congénita se inclina a hacernos bien y a apartarnos del mal. Por lo tanto, no es necesaria una actitud de perpetua vigilancia contra los peligros del alcohol o de cualquier otra índole. Estos peligros y estas tentaciones se desvanecerán como la niebla cuando el goce de los placeres verdaderos de la vida se nos vuelva accesible una vez más.

EL ALCOHOLISMO Y LOS DOSHAS

ALCOHOLISMO Y VATA

Una prolongada conducta adictiva siempre trae como consecuencia un grave desequilibrio de Vata, y éste puede agudizarse aún más con la tensión producida por la abstinencia de alcohol. Por lo tanto, las técnicas de relajación que equilibran Vata deben tener prioridad en la recuperación de la adicción al alcohol, aun cuando no sea éste su dosha dominante.

Si responde afirmativamente a dos o más de las preguntas que siguen, es muy probable que esté sufriendo un desequilibrio de Vata relacionado con el alcoholismo.

1. ¿Sucede a menudo que sus pensamientos son inquietos y dispersos, y que bebe para sentirse más tranquilo y concentrado?
2. ¿Sufre con frecuencia de insomnio y bebe para poder dormirse?
3. En ocasiones, ¿le tiemblan las manos o la cabeza de manera incontrolable?
4. ¿Ha experimentado una pérdida notable del apetito y prefiere beber en lugar de comer?
5. ¿Ha notado súbitas pérdidas de memoria o de concentración?
6. ¿Se siente a veces apático con respecto a la vida, en general, y desprovisto de todo deseo?
7. ¿Se sobresalta o asusta con facilidad, y bebe para aliviar esos síntomas?
8. Los ambientes familiares, ¿a veces le parecen lejanos e irreales, sobre todo cuando bebe?
9. ¿Se ha desmayado alguna vez mientras bebía o después?

10. ¿Sufrió alguna vez de ilusiones o alucinaciones mientras bebía o después?

Alcoholismo y Pitta

En su autorizada obra titulada *Ayurvedic Healing* (Curación ayurvédica), el doctor David Frawley pone el acento en el hecho de que el alcohol aporta al cuerpo una cantidad repentina, y a menudo excesiva, de calor. Esto perturba a Pitta y puede causar desórdenes inflamatorios en el hígado y en otras partes del sistema digestivo, sobre todo en los individuos cuyo dosha dominante es Pitta.

Las personas en las que domina Pitta suelen presentar con frecuencia, comportamientos característicos relacionados con el alcohol, y estos tercos individuos pueden ser muy resistentes al cambio. De hecho, incluso personas Pitta con un grado importante de alcoholismo suelen negar la existencia del problema. No sólo lo niegan ante los demás sino ante sí mismos. Si el resultado del cuestionario mente cuerpo indica que Pitta es su dosha dominante, y si, en ocasiones, sospecha que tal vez esté bebiendo en exceso, lea las diez preguntas que siguen. Si responde afirmativamente a dos o más de ellas, es éste un claro indicio de que podría ser un Pitta alcohólico.

1. ¿Espera hasta determinada hora del día para empezar a beber y cree que esa es una prueba de autocontrol?
2. ¿Se descubre esperando ansioso la "hora del cóctel"?
3. ¿Ha convertido en rito ciertos aspectos del acto de beber, exigiendo determinados ingredientes, mezclas, clase de copa, etcétera?
4. ¿Ha dejado de beber por unos días o semanas, para demostrar que puede hacerlo?
5. Cuando bebe, ¿siente, a veces, que está compitiendo con otros bebedores o contra el alcohol mismo, para demostrar cuánto es capaz de ingerir?
6. Cuando bebe, ¿desprecia a las personas que se comportan como ebrias o achispadas?
7. ¿Alguna vez combina el alcohol con el atletismo, como cuando juega softbol, baloncesto o golf?
8. Si bebe con otros, ¿presta atención a quién es el que paga, y cuando le toca, paga una ronda?
9. ¿Se enfada y discute cuando bebe?
10. ¿Cree que la vida cotidiana es una lucha y que la bebida es un respiro o una recompensa?

Alcoholismo y Kapha

En el aspecto nutritivo, el alcohol es una forma de azúcar y, en muchos casos, el alcoholismo sería una manifestación de adicción al azúcar. Esto sucede con mayor frecuencia entre los tipos Kapha, que tienen un gusto innato por el azúcar, en cualquiera de sus presentaciones. Los Kapha son especialmente susceptibles al "efecto yoyó" que provoca la ingestión de azúcar en grandes cantidades, ya sea en forma de alcohol, caramelos o cualquier otro dulce. Después de una breve "subida", sobreviene una sensación de debilidad física o letargo y aparece una fuerte depresión emocional. Como, en general, los Kapha tienden a la depresión, en las personas de este dosha, la secuencia es muy pronunciada cuando están fuera de equilibrio. Lo más probable es que un alcohólico grave de Kapha sea un individuo con intensa depresión, que tiende al sueño excesivo, es obeso, bebedor solitario e incluso tiene ideas suicidas.

Si responde de manera afirmativa a dos o más de las siguientes preguntas, es muy probable que sea usted un alcohólico de tipo Kapha.

1. ¿Tiene un gran sobrepeso y nota que el exceso de bebida lo ha empeorado?
2. ¿Bebe con frecuencia solo, en su casa?

3. ¿Bebe a veces en la cama?
4. Después de beber, ¿es frecuente que duerma largos períodos?
5. ¿Le agradan las bebidas alcohólicas que contienen azúcar o mezcladas con bebidas dulces?
6. ¿Ha advertido que tiene una capacidad natural para beber más que otros?
7. Cuando bebe, ¿al comienzo se siente aturdido o alegre?
8. Después de un rato de beber, ¿suele sentirse triste o sentimental?
9. Mientras bebe, ¿a veces suda copiosamente?
10. Después de beber por la noche, ¿suele advertir congestión en la garganta o en el pecho, a la mañana siguiente?

Si sus respuestas a estas preguntas indican la presencia de un problema con la bebida, las técnicas ayurvédicas que presentamos en la Tercera Parte podrán ayudarlo a empezar a enfrentarlo. Repito, que es prudente contar con una evaluación médica profesional si usted sospecha que podría ser alcohólico.

6

Adicción a drogas ilegales

Soñar con una sustancia que transforme la realidad es algo hondamente enraizado en la imaginación humana. En la literatura védica hay numerosas referencias a un líquido místico llamado soma, el néctar de los dioses, que da la inmortalidad a cualquiera que lo beba, y en la mitología griega se dice que la ambrosía tiene el mismo poder. En el Libro del Éxodo, del Viejo Testamento, los israelitas se enfrentaban con la muerte por hambre en el desierto, hasta que Dios los proveyó de maná, sustancia que caía como nieve del cielo, y que sabía como cualquier alimento que pudiesen imaginar.

La Biblia menciona varias ideas que podrían ayudarnos a entender la naturaleza de la adicción, en especial a las drogas. La adicción a las drogas se apodera de hombres y mujeres cuya vida cotidiana se parece a un vagabundeo por el desierto, despojada de todo placer y de todo alimento espiritual. Cuando algo transporta a tales personas a una realidad por completo diferente, la mayoría de ellos acepta la oferta sencillamente porque ninguna otra cosa promete nada. Pero, tal como vimos en el caso del alcohol, lo que comienza como una búsqueda de placer, pronto se convierte en una lucha constante para evitar el dolor. En la mayoría de las adicciones a drogas, en estado avanzado, los efectos debilitantes de la abstinencia son más duraderos que cualquier vuelo eufórico y, en todo caso, el vuelo se vuelve casi imposible de lograr a medida que el cuerpo desarrolla tolerancia a la sustancia adictiva. Pronto, el hábito de drogarse persiste sólo para mantener a raya el síndrome de abstinencia, y no quedan dudas: eso que parecía la entrada al paraíso se ha abierto sobre un desierto diferente.

La idea de que la adicción es una búsqueda inútil pero comprensible se opone a algunos aspectos de la teoría de la enfermedad del comportamiento adictivo en que se basan la mayoría de los programas de tratamiento. En esta teoría se subraya la predisposición genética a la "infección" de la conducta adictiva, que después de establecida, actúa sobre la víctima de una manera muy parecida a cualquier otra enfermedad infecciosa. Algunos de los que apoyan esta teoría afirman que una sola experiencia con una droga adictiva causa un cambio permanente en la química cerebral del usuario, y eso da lugar a un ansia permanente, también, de más droga. Se compara la exposición a las drogas con la picadura de un mosquito portador de malaria o de fiebre amarilla. En cuanto empiece, seguirá su curso, y el daño ya estará hecho.

Pero existen diferencias bastante obvias entre el avance de una adicción y el curso de una enfermedad infecciosa. Después de recibir la picadura de un mosquito portador de enfermedad, la víctima no necesita participar de manera consciente en la infección para que ésta avance. En cambio, un consumidor de drogas debe practicar toda una serie de acciones más o menos voluntarias, y en cada punto hay un "escape", al menos como posibilidad física. El adicto debe encontrar un proveedor, pagar y, con frecuencia, realizar una compleja secuencia de preparativos antes de poder usar la droga. También ocurre que el adicto se compromete en una actividad que está estigmatizada, tanto por la ley como por la sociedad en su conjunto, y que acarrea el riesgo de severos castigos. En todos esos pasos, es necesario decidir. Prefiero pensar que son elecciones conscientes, porque esto deja abierta la alternativa de adoptar decisiones diferentes.

En mi opinión, la elección es la base real de la curación. Estas elecciones deberán tener lugar en todos los niveles de la existencia individual, desde los pensamientos conscientes que dirigen el comportamiento en el mundo, hasta las elecciones bioquímicas que hacen millones de células en todo el cuerpo. Como señaló el psicoanalista Thomas Szasz, a lo largo de la historia, las sociedades han condenado de maneras diversas los llamados comportamientos desviados. Casi siempre, esta condena se basó en ideas religiosas, si bien el refuerzo de la ortodoxia religiosa ha sido, a menudo, el disfraz del poder y el control políticos. En el presente, la confianza en la ciencia conduce a una terminología de desaprobación diferente, y el uso de drogas se ve más como una enfermedad que como algo blasfemo. Pienso que debemos usar el modelo de enfermedad de la adicción con gran cautela, y no olvidar que el poder de la cura reside siempre en el paciente, y no en determinado médico, recurso de tratamiento o medicamento. La tarea real del médico consiste en crear condiciones en las que la capacidad curativa natural del propio paciente actúe con eficacia, o sea, condiciones en las que el cuerpo y el espíritu del paciente puedan optar por la elección natural de la salud en lugar de la enfermedad, y de la alegría más que del dolor.

Mientras escribo este libro, la Sociedad para una Norteamérica libre de Drogas, alianza sin fines de lucro entre los medios masivos y las compañías de publicidad, que ha creado y promovido mensajes antidroga durante varios años, está presentando una nueva campaña contra la heroína. Los nuevos mensajes aparecerán en la prensa y en la televisión. Entre ellos, hay testimonios de antiguos adictos a la heroína, y también irónicas superposiciones de los efectos de la droga con la atractiva imagen que podría llamar la atención de posibles usuarios. Una campaña mediática de semejante envergadura, suscita importantes preguntas. Da en el blanco en el sentido de que presenta el uso de drogas como una estrategia desviada de obtener placer o poder personal. Pero es probable que mostrar la devastación provocada por el uso de la droga no sea eficaz, así como tampoco la probabilidad de ser arrestado tiene eficacia sobre los individuos que cometen crímenes. Las personas que consumen heroína en esta sociedad no son demasiado susceptibles al temor de lo que podría sucederles. Están asustados y deprimidos por lo que ya les ha pasado, aunque no sean demasiado conscientes de ello. Las fuentes de alegría genuina están tan disminuidas que, en comparación, los placeres superficiales de la heroína y de otras drogas les parecen grandes. Antes de tener relación con la heroína por primera vez, ya están sumidos en hondo sufrimiento. Lo que necesitan es dicha, en el pleno sentido de la palabra. Ya conocen bastante acerca del dolor.

PUNTOS QUE DEFINEN LA ADICCIÓN A LAS DROGAS

Desde el punto de vista ayurvédico, la ausencia de alegría en la vida es la causa más importante y también el efecto fundamental de la adicción. Pero también existen ciertas señales claramente discernibles en el uso habitual de drogas, evidentes en la vida cotidiana del adicto. Vale la pena prestarles atención con vistas a un diagnóstico, y por lo que revelan con respecto a la psicología de la persona adicta.

La lista de drogas potencialmente adictivas es muy larga, y deben hacerse muchas distinciones de las características biológicas, psicológicas y sociales de las diversas sustancias. La cocaína en polvo, por ejemplo, es una droga mediana o dura, y su efecto en el organismo es diferente al de la cocaína en piedras o crack, que se vende en unidades de bajo costo y es más popular entre la población de menores recursos económicos. Los conductores de camiones de larga distancia y los estudiantes universitarios suelen usar anfetaminas, mientras que el uso de opiáceos, como la heroína, están presentes, hasta cierto punto, en casi todos los segmentos de la población. Pero pese a las diferencias entre las distintas drogas y las personas que las utilizan, hay ciertos elementos que definen la adicción en general. Por lo tanto, en lugar de considerar cada droga de manera individual, en esta sección nos dedicaremos a los aspectos comunes del comportamiento adictivo, en general.

Como pasa con el alcohol, el uso de drogas que alteran la mente o con fines "recreativos", ha formado parte de la cultura humana —de todas las culturas humanas— durante miles de años. Al analizar tabletas de arcilla hechas hace casi siete mil años, en el reino de Sumeria, en el Oriente Medio, se descubrió una palabra jeroglífica que significa opio, y el contexto indica que la palabra tenía connotaciones de alegría y regocijo. También hay pruebas de que los moradores lacustres de Suiza, cultura que data de unos 2.500 a.C., comían semillas de amapola, fuente natural del opio y de sus derivados, como la heroína y la morfina. Pero el hecho de que reconozca la existencia del uso de drogas desde los albores de la historia registrada no significa que lo apruebe. A decir verdad, el impulso de la sociedad humana a estigmatizar o prohibir ciertas conductas es tan antiguo como el deseo de usar drogas o alcohol. Uno de los ejemplos más antiguos sería el de la historia bíblica de Adán y Eva, que violaron la prohibición de Dios cuando comieron la fruta del Árbol del Conocimiento. Por lo tanto, no podemos defender el uso de drogas basándonos, sencillamente, en que es algo "natural" para los seres humanos, porque también es natural calificar ciertas acciones como buenas y otras como malas. A menudo, esas etiquetas han sido aplicadas de manera arbitraria, y lo que en un siglo se consideró bueno, en otro se calificó de malo. Entonces, para hablar de drogas de manera inteligente y objetiva, necesitamos tener en cuenta variables sociales e históricas, como así también factores médicos y psicológicos.

El café, por ejemplo, en el presente no se considera una droga ilícita en la sociedad contemporánea occidental, pese a que el abuso de café puede causar problemas físicos y emocionales. Cuando apareció por primera vez en Europa, en el siglo XVII, al mismo tiempo que se hacía sumamente popular, las autoridades civiles se esforzaron por regular su uso, y hasta declararlo fuera de la ley. Pero eso resultó imposible, y los cafés se convirtieron en lugares de reunión populares en todo el continente. Voltaire y otras importantes figuras del Siglo de las Luces eran amantes del café, y el novelista francés Balzac prácticamente murió por la adicción al café, tan pronunciada que lo consumía en forma de sopa espesa. Hoy en día, la dependencia del café e incluso la adicción son comunes en Estados Unidos y en Europa, y se pueden observar síntomas de abstinencia claramente definidos entre los bebedores de café a los que se les retira de repente el acceso a la infusión. Sin embargo, consideramos al café como una bebida, y no como una droga. Del mismo modo, los grandes consumidores de chocolate y de azúcar cumplen las pautas de adicción a las drogas aunque, de manera intuitiva, los situamos en una categoría diferente de la de los consumidores de heroína y cocaína.

El hecho de que ciertas drogas sean ilegales tal vez constituya parte esencial de su atractivo. Al elegir esas sustancias, un individuo rechaza los valores dominantes en la sociedad, se discrimina de ella y se une a un subgrupo que define su vida a través de la adicción. Éste es un elemento básico en la psicología del uso de drogas. Si mañana se legalizaran la heroína o la cocaína, algo que yo no apoyo, creo que la mayoría de los adictos seguirían hallando motivos para obtener las drogas de manera ilegal, y los modos de hacerlo.

Los criterios actuales de la adicción a la droga están definidos con claridad en *Diagnostic and Statistic Manual of Mental Disorders, Fourth Edition* (1994) (Manual de diagnóstico y estadístico de desórdenes mentales, cuarta edición), publicado por la Asociación Norteamericana de Psiquiatría, y será útil comentar brevemente cada uno de estos criterios antes de hablar de la adicción a determinadas sustancias. Cualquier combinación de cuatro o más de las conductas cuya lista presentamos a continuación justifica el diagnóstico psiquiátrico del individuo como adicto.

CRITERIOS DEL *MDE* PARA ADICCIÓN

1. OBSESIÓN CON LA SUSTANCIA QUÍMICA ENTRE PERÍODOS DE USO

Sea uno adicto al juego, la heroína, el azúcar refinado o la cocaína, la experiencia es como un viaje en montaña rusa en medio de un amplio contexto de expectativas y frustraciones hasta que se cumplen las expectativas. Pero cuando la sustancia adictiva es ilegal, la situación se hace más compleja aún. Fatalmente, la práctica de actividades ilegales separa al individuo, de manera marcada, de la gente que no las realiza. Desde el punto de vista de un adicto ilegal, cualquier persona con la que se pone en contacto está dentro o fuera: es alguien que lo ayudará a conseguir droga o que lo entregará a la policía. Cualquiera es amigo o enemigo, y la mayoría de las personas serán enemigos, sólo por la naturaleza de la actividad. La adicción a una sustancia ilegal se convierte, así, en la característica que define la vida del adicto; es el filtro a través del cual pasa cada encuentro. No es ésta una función de la bioquímica de la adicción ni de las características intrínsecas de las sustancias mismas. No es raro que los pacientes de hospital se conviertan en adictos a la morfina u otros calmantes en el transcurso de un tratamiento, pero no sienten que son "yo contra el mundo", como en la psicología del adicto ilegal, para el cual los aspectos antisociales y ocultos de la adicción forman parte fundamental de la experiencia. Como dice un investigador: "Para aquéllos que nunca fueron adictos a sustancias [ilegales], es difícil entender la importancia que el adicto confiere a la droga que eligió... No es infrecuente que los adictos a la cocaína admitan que, si los obligaran a elegir, elegirían la cocaína por encima de amigos amantes, e incluso, familia".

2. Usar más cantidad de sustancia de lo que se había previsto

"Puedo abstenerme, pero no puedo ser moderado", declaró el sabio Samuel Johnson, del siglo XVIII. Como estaba convencido de que la ebriedad era moralmente reprobable, Johnson hizo del té, en lugar del alcohol, su bebida preferida. Pero son pocas las "personalidades adictivas" con el nivel de claridad de Johnson sobre su propia falta de control. Nadie empieza a tomar drogas con la intención consciente de convertirse en adicto, y hay muchas personas que "experimentan" con sustancias ilegales y nunca se vuelven adictas. Pero el adicto se caracteriza por sobrestimar su capacidad de controlarse a sí mismo y subestimar la fuerza de la dependencia. Es muy probable que un consumidor de drogas defina a un adicto como a "cualquiera que use más droga que yo", hasta que la adicción se vuelve innegable.

3. Aumento de la tolerancia a la sustancia

La dependencia de los narcóticos y otras sustancias controladas puede crecer con rapidez, y hasta de inmediato en el caso de drogas con gran poder adictivo como la cocaína en forma de crack. En el siglo pasado, era común el uso de la tintura de opio, conocida como láudano, para calmar el dolor. La dosis acostumbrada era de veinte gotas en un vaso de agua, y se repetía dos o tres veces por día. El poeta inglés Samuel Taylor Coleridge consumía, a menudo 2,30 litros de láudano por semana, y Thomas de Quincey, autor de *Confessions of an English Opium-Eater* (Confesiones de un comedor de opio), era capaz de ingerir hasta ocho mil gotas por día. Para un usuario inexperto, esta dosis podría haber resultado fatal.

El fenómeno de la tolerancia del adicto a las drogas, cuya consecuencia obvia es la necesidad de cantidades crecientes, determina que el hábito se convertirá en una parte cada vez más grande de su vida. Insisto en que es importante destacar el efecto aislador que tiene esta búsqueda de drogas sobre la relación del adicto con la corriente mayoritaria de la sociedad, y que ese aislamiento bien podría ser una de las intenciones subyacentes de la adicción.

4. Síndrome característico de abstinencia de la sustancia

Todas las drogas capaces de crear hábito, como la cafeína, el azúcar y el chocolate, producen síntomas de abstinencia cuando se interrumpe el uso. En ocasiones, se produce una violenta conmoción en el organismo: un fuerte bebedor, por ejemplo, puede sufrir convulsiones y hasta la muerte si se priva bruscamente de alcohol. En novelas y películas se ha mostrado el síndrome de abstinencia de la heroína como muy doloroso, y suele ser así. Sin embargo, existen evidencias de que el sufrimiento que acompaña a la abstinencia de heroína puede estar influido tanto por el ambiente en el que sucede como por las expectativas del consumidor. En las comunidades terapéuticas que no alientan la expresión del sufrimiento durante la abstinencia, el malestar de los adictos en recuperación es mucho menor que en otros ambientes donde se controla la desintoxicación. En muchos casos, esta abstinencia se asemeja a casos graves de gripe respiratoria.

5. Uso de sustancias químicas para evitar o controlar el síndrome de abstinencia

Pese a que los síntomas de abstinencia pueden recibir la influencia de factores externos, a menudo se usa el temor del adicto a una experiencia muy difícil para justificar el mantenimiento de la adicción. El miedo a un síndrome doloroso puede impulsar a seguir usando droga, mucho después de que el placer proporcionado por la droga se haya vuelto inaccesible.

6. Intentos repetidos para interrumpir o disminuir el uso de sustancias

A pesar de la capacidad de control que los adictos suelen atribuirse, sobre todo en las primeras etapas de su vínculo con drogas, durante el curso de la adicción a menudo se ven impulsados en dirección contraria. Por un lado, enfrentan la condena legal y moral de la sociedad en general. Claro que esta demonización del adicto provoca dolor, pero a la vez fuertes sentimientos de resistencia y rebelión. Por otro lado, casi siempre el adicto se une a un grupo de pares, de otros consumidores que lo alientan a mantener la adicción y cuya amistad perdería en caso de dejar las drogas. Incluso en el transcurso de un solo día, el adicto está expuesto a cientos de mensajes que le indican, al mismo tiempo, el camino hacia las drogas y el que lo aleja de ellas. Entonces, no es de extrañar que durante la adicción haya muchos intentos fallidos de dejar la droga.

7. Intoxicación en momentos inapropiados (por ejemplo, en el trabajo) o cuando la abstinencia impide el funcionamiento cotidiano

Es difícil definir el estrés, pero es fácil reconocerlo. En realidad, no es un sentimiento bien definido como el amor o el miedo, pero está presente en nuestras vidas en casi todo momento y se manifiesta tanto física como emocionalmente. Creo que este estrés invasor es un fenómeno particular de la vida moderna, y que no ha existido nada semejante en la historia humana reciente. No cabe duda de que el cazador primitivo que intentaba arrojar su lanza a un tigre dientes de sable sufriría un temor agudo; el aldeano medieval amenazado por la Plaga, seguramente se sentiría aterrado; y los granjeros del siglo XIX, en las llanuras norteamericanas deben de haberse sentido indefensos cuando la sequía amenazaba sus cosechas, pero éstos, al menos, eran sentimientos con causas claras y efectos que la conciencia podía percibir. Además, la religión en sus diversas formas siempre brindaba una explicación de lo que sucedía y consuelo para ayudar a enfrentar la situación. Hoy, en cambio, el terror es menor que en el pasado, pero hay más tensión, un nivel de ansiedad en el ambiente que va desde un nivel bajo a uno medio. En el caso del adicto, la droga podría significar el antídoto químico al problema del estrés, una realidad alternativa con dificultades y peligros preferibles a las exigencias de la realidad cotidiana. Esto no significa que el adicto a la heroína o la cocaína se retire durante largos períodos a un lugar deprimido en alguna zona marginal de la ciudad; al contrario, le bastará con cerrar unos minutos la puerta de la oficina. Una vez que empieza a confiarse en este método para reducir la tensión, cobra vida propia: lo que comenzó como una acción voluntaria para lograr una elevación tranquilizadora, se convierte en una compulsión para evitar la abstinencia que debilita.

8. Reducción de las actividades sociales, laborales o recreativas para favorecer el uso de la sustancia

"Es tan maravilloso, que usted no debería probarlo ni una vez." Esta frase, citada con frecuencia en libros sobre abuso de drogas, se atribuye a un usuario anónimo de heroína que intenta describir la primera experiencia con la droga. Ese comentario tan contradictorio refleja la potencia que tienen ciertas drogas para ocupar, primero, la conciencia del consumidor y luego para preocuparlo por entero. El precio del éxtasis inducido por sustancias químicas es una apatía creciente a todo lo demás. Esto ha sido demostrado en situación experimental de laboratorio, con ratas que se habían hecho adictas a la cocaína. Por obtener la droga, los animales adictos ignoraban cualquier otro estímulo: alimentos, agua y copulación con otra rata. Esta reducción de los intereses es característico de la adicción a la droga, y uno de sus aspectos más peligrosos.

9. El uso de sustancias continúa, a pesar de los problemas sociales, emocionales o físicos que acarrea

El escritor William S. Burroughs que, en la actualidad, tiene más de 80 años, ha sido adicto a la heroína en todo el transcurso de su vida adulta. En la novela titulada *Junky*, Burroughs escribió: "El junk (nombre vulgar de la heroína), no es un estimulante. Es un modo de vida". Por cierto, tanto la longevidad de Burroughs como su producción literaria son poco habituales entre los consumidores de droga, pero está en lo cierto al describir ese uso como algo más que una sensación producida por una serie de reacciones químicas en el organismo. La adicción es una orientación hacia el mundo que lo abarca todo, y que resta importancia a todo lo que no sea la droga. Quizás haya en la mente del adicto una intención latente: para él el ser físico sería lo único importante, lo único que necesitaría saber, lo único que querría saber. La interpretación psicoanalítica de la adicción rastrea su origen en una dependencia de necesidades insatisfechas de las primeras etapas de la vida y, en cierto sentido, el adicto regresa al momento en que era un recién nacido y succionaba el pecho o el biberón. No importa ninguna otra cosa, no existe nada más, y la perspectiva de perder esa fuente nutricia lo aterroriza hasta lo indecible.

USO DE DROGAS Y LOS DOSHAS

VATA

El abuso de drogas empieza como una especie de transacción, por medio de la cual se obtiene satisfacción a corto plazo, a riesgo de graves daños físicos, emocionales y legales a largo plazo. Un elemento fundamental de esta primera etapa es la impaciencia por percibir sensaciones, excitación y lograr la aceptación de los pares. Y, a medida que esa conducta adictiva continúa, la impaciencia suele asumir una índole frenética, que luego podría degenerar en la insensibilidad o la apatía del estado avanzado de adicción. Desde el punto de vista ayurvédico, la impaciencia que caracteriza al uso de drogas es indicador de un desequilibrio de Vata. Recordemos que Vata deriva del elemento aire y, como el viento, este dosha siempre cambia de dirección y de intensidad, como si no pudiese descansar o sentirse satisfecho. El Ayurveda usa la palabra sánscrita *sattva*, que significa pureza, para describir el estado de conciencia natural, que es sereno y lúcido. La droga introduce una influencia externa artificial en el funcionamiento mental. Según la droga, esta influencia puede enturbiar los sentidos o intensificarlos durante un tiempo. Pero, en última instancia, el efecto siempre consiste en desestabilizar el equilibrio mental y dar comienzo a la inquietud e imprevisibilidad que caracteriza los trastornos de Vata. Éste es, además, un dosha muy seco, y el efecto diurético de muchas drogas podría secar el organismo y empeorar la constipación y los problemas renales típicos de los Vata muy desequilibrados.

El uso de anfetaminas y de otros estimulantes causa perturbaciones graves e inmediatas en Vata. Pero hasta los sedantes y opiáceos son capaces de provocar el mismo resultado. En todo caso, los diversos síntomas que acompañan la abstinencia de sustancias adictivas son, en lo esencial, desórdenes de Vata, y es preciso tratarlos con técnicas apaciguadoras (explicadas en la Tercera Parte de este libro).

Pitta

El dosha Pitta deriva del elemento fuego, y la literatura ayurvédica suele referirse a él a través de metáforas del calor. Pitta es responsable de la capacidad del organismo para digerir y metabolizar el alimento, y la mayor parte de los desequilibrios del tracto digestivo se deben a que los fuegos digestivos de este dosha arden demasiado o demasiado poco. Resulta significativo que a menudo se aplique una palabra como apagado a los efectos a largo plazo del uso de drogas, sobre todo de anfetaminas y estimulantes parecidos, o de alucinógenos como el LSD y la marihuana.

Las personas en cuya constitución predomina Pitta, por lo general, tienen metas claras y son exigentes consigo mismos. Cuando este dosha se desequilibra, en verdad se vuelve compulsivo y no es raro que se vean comprometidos con las drogas, creyendo que les ayudarán a alcanzar sus objetivos. El escritor y filósofo francés Jean-Paul Sartre, por ejemplo, usó anfetaminas muchos años, en su intento por escribir todo lo posible. El abuso prolongado de anfetaminas suele dar como resultado un perjuicio a los ojos y, finalmente, Sartre perdió la vista como consecuencia del uso de esa droga.

Kapha

La depresión, el letargo y un estilo de vida sedentario son indicios comunes de un desequilibrio Kapha. Cuando intentan aliviar estos síntomas, las personas con predominio de este dosha, a menudo son atraídas por los estimulantes fuertes para conseguir rápidos arranques de energía o por opiáceos como la heroína o barbitúricos como el Valium, que sólo exacerban esas tendencias inherentes. Sin embargo, las fuentes naturales de vitalidad no se desarrollan sino que más bien se ciegan.

No obstante, cuando un individuo Kapha ha consumido drogas durante cierto tiempo, casi siempre se trata de un desequilibrio Vata que es preciso atender, antes de satisfacer las necesidades del dosha dominante. Tal vez sea difícil reconocerlo cuando se presentan un exceso en el sueño, la comida u otros síntomas evidentes de depresión. Pero, en realidad, la depresión y la ansiedad son las dos caras de una misma moneda, y un tipo Kapha desequilibrado puede dormir doce horas en una noche, sin relajarse ni un solo instante. Tanto para los Kapha como para otros tipos de mente y cuerpo, el primer paso para recuperar el equilibrio del organismo después del uso de drogas, deberá ser la aplicación de las técnicas equilibradoras de Vata que se describen en la Tercera Parte.

7

Adicción al tabaco

Uno de los temas que se debaten con más vehemencia en la actualidad es el papel que juega el tabaco en la vida del país. A diferencia del consenso que existe con respecto a las desventuras de la adicción a una droga ilegal, como la heroína, o a una legal pero que reviste gran peligro, como el alcohol, no hay acuerdo general acerca del estatus del tabaco en nuestra sociedad. Casi no hay médicos que no condenen el hábito de fumar, pero existen poderosos intereses económicos y políticos que defienden y promueven con ardor el consumo del tabaco. Y si bien aparece una advertencia del Ministerio de Salud en cada cajetilla de cigarrillos, los gobiernos estatales y el federal obtienen enormes ingresos de los impuestos a los cigarrillos, situación que no puede menos que dar un matiz de ambivalencia a cualquier campaña del gobierno en contra del tabaco. A fin de cuentas, el tabaco sigue siendo un producto legal, cosa que las compañías tabacaleras no pierden oportunidad de subrayar, y jamás ha habido un esfuerzo serio, en el nivel federal, por cambiar esta situación. Sin embargo, el hábito de fumar tiene intervención directa en las muertes de más de un millar de norteamericanos por día.

El tabaco y nuestra actitud hacia él generan un dilema que va más allá de los límites de una discusión sobre el uso de las drogas. Toca terrenos esenciales de la economía, la demografía y la libertad personal hasta un grado que no sucede con otras drogas. La producción de la planta que da origen a la cocaína o las amapolas de las que se extrae el opio son importantes para la economía de naciones como Perú y Afganistán, y el gobierno de Estados Unidos presiona a esos países para que dejen de cultivarlas. Y, sin embargo, casi todo nuestro tabaco crece en plantaciones legales dentro de los límites de Estados Unidos, a pesar de que la cantidad de muertes relacionadas con el acto de fumar superan las 400.000 por año, muchas más que las que provocan todas las demás drogas. Si bien la ley intenta hacerse presente mediante la advertencia de no fumar, ésta no ha tenido efecto... más bien, ha sido ignorada. Por ejemplo, el tabaco es ilegal para los adolescentes, pero hay más de tres millones de fumadores habituales en esa franja de edad.

Casi todos los que fuman en este país saben que el tabaco es peligroso para la salud. Cuando apareció la exigencia legal de poner en los paquetes de cigarrillos la leyenda "peligroso para la salud", las compañías tabacaleras no tuvieron inconveniente alguno en cumplirla, creyendo que la "justa advertencia" les evitaría juicios legales por parte de fumadores que contrajeran enfermedades fatales. Está por verse si seguirá protegiéndolas, pero aparecen señales de que las advertencias y otras publicidades de signo negativo relacionadas con este hábito están surtiendo cierto efecto. Por otra parte, también es cierto que, para la mayoría de las personas, es imposible dejar de fumar, y casi todos los que dejan (o que jamás empezaron), provienen de los estratos más educados de la sociedad. En realidad, fumar está popularizándose más en ciertos grupos demográficos, tales como los varones negros jóvenes y las muchachas adolescentes. Además, parece aproximarse un futuro brillante para el tabaco en otras partes del mundo. En China, por ejemplo, con más de mil millones de habitantes, hay más fumadores que toda la población de Estados Unidos.

LA HISTORIA Y LA ATRACCIÓN DEL TABACO

Como pasa con el alcohol, el hábito de fumar ha cumplido un papel ceremonial a lo largo de la historia. El ritual de fumar "la pipa de la paz" fue muy conocido entre algunas tribus nativas del Norte de América y lo más probable es que fuese en ese contexto que exploradores europeos como sir Walter Raleigh descubriesen el tabaco. Por lo general, se atribuye a Raleigh la introducción del tabaco en Inglaterra, en el siglo XVII, aunque tal vez este dato no tenga exactitud histórica. En Europa se fumaba desde las primeras expediciones de Colón al Nuevo Mundo, que se hicieron un siglo antes que las de Raleigh. En realidad, un compañero de navegación de Colón fue encarcelado "por el bien de su alma", cuando, al volver a España, encendió un puro. Cuando fue liberado, fumar ya se había convertido en un pasatiempo popular en Europa.

Es interesante notar que, desde el principio, fumar provocó respuestas ambivalentes, y hasta contradictorias por parte de los gobiernos y las instituciones religiosas. Poco después de su aparición en Alemania, fumar se castigaba con la muerte. En Rusia, incluso se llegaba a condenar al fumador a la castración y, en Norteamérica, hasta una fecha tan próxima como 1909, diez Estados tenían leyes en contra del cigarrillo. Pero la popularidad del tabaco entre la población en general fue siempre sólida. No hubo medidas gubernamentales, por severas que fuesen, que pudiesen frenar el avance del hábito de tabaco, y la imposibilidad de la prohibición oficial absoluta se hizo evidente. Al revés que en el presente, los miembros de la profesión médica se oponían menos al tabaco que los custodios de la moral pública; médicos europeos consideraban el tabaco como una poderosa medicina más que como un vicio. Pero sin tener en cuenta la aprobación o desaprobación de cualquier institución oficial, en todos aquellos lugares donde se introdujo el tabaco, fue imposible detener el hábito de fumar.

En el siglo XIX, cuando se inventaron las máquinas de liar cigarrillos, se llegó a un punto crucial en la historia del tabaco. Antes, se masticaba, se inhalaba en forma de vapor, se fumaba en pipa o en forma de puros, y estos métodos engorrosos limitaron las cifras de consumo. Pero incluso las primeras máquinas podían producir más de 100.000 cigarrillos por día. Más aún, los cigarrillos ya liados eran más baratos y más fáciles de transportar. Como, además, duraban menos que otras formas de tabaco, lo más probable era que el fumador tuviese que encender con más frecuencia. No tiene ninguna importancia que la historia de los sistemas de distribución del tabaco fuera paralela a los de la cocaína.

En grandes segmentos de la población, el uso de la cocaína en polvo fue sustituida, en gran medida, por el crack, que tiene un costo más bajo por unidad, y un efecto de menor duración, que lo hace más "conveniente" de usar.

Hasta esta breve reseña revela un aspecto importante del atractivo de fumar. Desde el principio, fue una forma fácil de transgresión a la moral oficial, cierto tipo de ejercicio riesgoso que, al comienzo, practicaban los "indios salvajes". En la década de los veinte, fumar se consideraba señal de sofisticación en Estados Unidos, del mismo modo que, en igual período, concurrir a una taberna en la época de la prohibición era como burlarse de la autoridad. Sin duda, esta característica constituye buena parte del atractivo del tabaco para ciertos grupos, sobre todo de adolescentes. Pero fumar también se ha constituido en un modo de expresar camaradería, madurez y un estilo personal, como sabrá cualquiera que haya visto a Humphrey Bogart o a Bette Davis. Sólo en las dos últimas décadas ha habido un cambio verdadero de conciencia con respecto al tabaco en grandes segmentos de la población. E incluso estos cambios, en su mayor parte, se limitaron a ciertos segmentos en Estados Unidos.

Aparte del modo en que los miembros de la profesión médica consideraban al tabaco en el pasado, en el presente casi todos los médicos advierten muy enérgicamente a sus pacientes en contra del tabaco. Y si bien la industria tabacalera se empeña en seguir negándolo, la naturaleza adictiva del hábito de fumar está más allá de toda discusión.

El humo de tabaco contiene alrededor de cuatro mil componentes químicos diferentes, entre los que se detectaron monóxido de carbono, amoníaco, hidrógeno cianuro, y formaldehído, pero es sabido que el principal efecto psicoactivo se deriva de la nicotina. Los investigadores difieren en cuanto a la potencia de los efectos de la nicotina en comparación con sustancias como la cocaína o las anfetaminas, pero están de acuerdo en cuanto a la capacidad adictiva de aquélla. Entre el 3 y el 20 por ciento de las personas que prueban cocaína alguna vez, se hacen adictas, pero en lo que se refiere a los fumadores "experimentales", entre un tercio y la mitad se convierten en adictos al tabaco. Según las investigaciones, el adolescente que fuma tan sólo cuatro cigarrillos, tiene un 94 por ciento de probabilidades de seguir fumando tabaco durante buena parte de su vida.

Existen muchos enfoques para el tratamiento de la adicción al tabaco y a la nicotina. Casi todos ellos dan resultado para ciertos fumadores, pero hay otras personas que siguen sin poder dejar, por mucho que lo intenten. Esto nos indica que el secreto reside más en la mente y el corazón del fumador que en el tratamiento... y esta es una conclusión que saqué de mi propia experiencia.

Empecé a fumar a los 17. Durante años, hice muchos intentos de abandonar el hábito, pero ninguno tuvo éxito durante mucho tiempo. Llegué a detestar el hábito de fumar, y a enfadarme conmigo mismo por permitírmelo. A menudo, lleno de furia, tiraba los últimos cinco cigarrillos que quedaban en el paquete y me prometía dejar pero, una hora después, con actitud furtiva, abría otro. Vi que, en cierto modo, ese ciclo de autorreproche y culpa era el mecanismo que mantenía vivo el hábito, pero entender esto no tuvo ningún efecto práctico sobre el hecho de fumar. No hacía más que repetir la secuencia una y otra vez. En términos ayurvédicos, mi intención de abandonar era sobrepasada por los recuerdos de fumar y los deseos que despertaban.

Una noche, fui a ver un ballet. Ahí sentado, en la oscuridad, admirando la gracia de los bailarines, oí mi propia respiración, llena de resuellos y jadeos. El contraste me impresionó mucho. Tenía ante mí a soberbios atletas que parecían volar sobre el escenario, y yo me esforzaba por respirar, sencillamente.

Al día siguiente, estaba por abrir un nuevo paquete de tabaco, y sentí una culpa mayor que la habitual por el hecho de fumar. Pero, a esa altura, había aprendido que la culpa no bastaba para quebrar la adicción; en cierto modo misterioso, la facilitaba. Entonces, en lugar de añadir la experiencia tóxica del hábito de fumar a mi autorreproche, también tóxico, dejé que mis pensamientos se concentraran otra vez en los hermosos bailarines que había visto la noche anterior. Cuando lo hice, al fin descubrí el modo de romper la cadena de comportamiento adictivo, y tiré los cigarrillos. En las semanas que siguieron, cada vez que deseaba fumar, evocaba el recuerdo de los bailarines. Desistí de pelear contra la adicción y, en cambio, lo reemplacé por una alternativa positiva.

No quiero decir que éste fuera un descubrimiento milagroso de mi parte. Hay numerosas terapias de adicción que se basan en técnicas cognitivas y las visualizaciones positivas, pero yo había llegado a un punto de genuina intención de dejar de fumar. Combinando la intención con una visión de belleza y salud, pude crear una nueva secuencia de recuerdo, acción y deseo. Recordar a los bailarines me impulsó a la acción de tirar los cigarrillos, y esta acción fue una experiencia positiva que me hizo sentir bien conmigo mismo. Esa sensación fue más poderosa que cualquier placer que pudiera sentir fumando, y el deseo de experimentarla fue más fuerte que mi deseo de fumar. Hace muchos años que no fumo.

Al contarles cómo logré dejar de fumar, quisiera subrayar la importancia de la intención sincera. Los bailarines de ballet fueron una visión bella e inspiradora, pero seguramente había visto muchas semejantes en mis años de fumador. Sin embargo, de pronto estuve dispuesto a tomar plena conciencia de los bailarines. Estuve dispuesto a ver algo maravilloso que la vida tenía para ofrecerme, y a percibir mi respiración acezante, que había estado negando.

¿Ha llegado usted a un punto en que su intención de dejar de fumar es sincera? Si es así, estoy seguro de que la información de las páginas siguientes le será útil.

DEJAR DE FUMAR: ENFOQUE AYURVÉDICO

La popularidad mundial del fumar nos indica con claridad que esta adicción no se limita a un grupo bien definido de personas. Desde la perspectiva ayurvédica, se puede ver de qué modo se sentirá atraído hacia el cigarrillo cada uno de los tres tipos de mente y cuerpo, y las razones de cada uno.

Es probable que los tipos Vata usen tabaco como una forma de enfrentar su inquieta energía. Manipular un cigarrillo provee una válvula de escape al nerviosismo y a la imposibilidad de quedarse quieto, característico de Vata cuando está fuera de equilibrio. Si bien la gente de este dosha tiende más a dejar de fumar que los Pitta o Kapha, esto se debe a que tiene más tendencia al cambio, en general. Si bien es probable que les resulte más fácil dejar, también es más probable que vuelvan a empezar. Es raro encontrar un fumador Vata de mediana edad que no haya dejado, por lo menos, tres o cuatro veces.

Para los tipos Pitta, fumar expresa el ansia de poder y de autoafirmación, característica de este dosha. A los Pitta no les agrada recibir órdenes; por lo tanto, ninguna cantidad de publicidad negativa contra el hábito de fumar podrá surtir efecto. Más bien se podría decir que esa experiencia de "jugar con fuego" tiene un intenso atractivo para el carácter de este dosha. Por otra parte, los Pitta adhieren con frecuencia a conductas pautadas y plenas de rituales, y es muy probable que sientan intensas ganas de fumar un cigarrillo a ciertas horas del día, en especial, después de comer.

Los individuos con predominio de Kapha suelen usar el tabaco como una extensión de su estilo de vida que, por naturaleza, es pausado y contemplativo. Los puros atraen de manera particular a los hombres Kapha; la experiencia de instalarse en una silla cómoda, con un gran puro, es mucho más seductora para un Kapha que para un Vata o Pitta. Como estos últimos, los Kapha suelen empecinarse en desoír el consejo de no fumar.

Dejando del lado los tipos de cuerpo y mente, creo que a cualquiera que desee dejar de fumar le resultará útil la técnica de cuatro puntos que describo más abajo. Sin embargo, como en el caso del alcohol, el éxito depende de la convicción espiritual de que, en verdad, usted quiere reemplazar el placer de fumar en su vida por otro de índole diferente, una satisfacción de orden más elevado. Antes de intentar dejar, piense en lo que le ha dado el tabaco, y también, el costo que ha tenido. Llegue a una intención sincera, y entonces podrá usar el método que ofrezco como guía práctica para convertir esa intención en acción.

Cuatro pasos para quebrar el hábito de fumar

1. Si usted es como la mayoría de los fumadores, seguramente enciende los cigarrillos, los fuma y los tira sin tener verdadera conciencia de lo que hace. A lo largo de los años, estas conductas se han convertido en reflejos

profundamente enraizados, que se ejercen de manera casi automática. Por lo tanto, el primer paso para dejar de fumar es adquirir conciencia del hecho de que uno *está* fumando. Antes de encender el cigarrillo, haga un esfuerzo consciente para desacelerar el proceso. Mire el cigarrillo que tiene en la mano y, mientras lo hace, preste atención a las señales interiores que emite su cuerpo. Este cigarrillo, ¿es algo que usted, realmente, desea? ¿O sólo es una manera de tapar otra cosa que piensa o siente? Aunque llegue a la conclusión de que, en realidad, quiere fumar, prestar atención al cuerpo dará un ritmo más lento al proceso y apagará el "piloto automático". Por extraño que le parezca, resulta útil mirarse en el espejo cuando se dispone a fumar y está aprendiendo esta técnica por primera vez. Esto lo ayudará a convertirse en un observador consciente de sí mismo en los momentos críticos, cuando está por encender. Recuerde siempre que un paso importante en el tratamiento de cualquier adicción consiste en eliminar la urgencia y reemplazarla por la conciencia plena. El solo hecho de pensar en lo que está haciendo suele hacer progresar con rapidez la tarea de quebrar el hábito de fumar.

2. Igual que con la bebida y otros comportamientos adictivos, es frecuente que una amplia variedad de claves y señales desencadenen el acto de fumar. Hay muchas personas que, sin advertirlo, encienden un cigarrillo cuando hablan por teléfono o beben una taza de café. Intente fumar como una actividad aislada, independiente. De este modo, facilitará la toma de conciencia propuesta en el paso 1. Aunque siga fumando durante un tiempo, al menos sabrá lo que está haciendo. Además, registrará las sensaciones desagradables que se asocian con esta actividad.

3. Una vez que haya logrado cierto grado de conciencia con respecto al hábito, empiece a introducir pensamientos nuevos en el proceso de fumar un cigarrillo. Para mí, fue la visualización de los bailarines de ballet, pero usted podrá usar cualquier recuerdo agradable que guarde en la memoria. Con todo, es preciso que tenga una significación espiritual definida y que pueda acceder al recuerdo con intención sincera. Es difícil determinar con precisión lo que esto significa, pero usted sabrá, de manera intuitiva, cuál es la diferencia entre un pensamiento que lo transporta al reino del espíritu y otro sin sentido espiritual. Concéntrese en ese

pensamiento o en ese recuerdo. ¿Qué aspiraciones despierta en su mente? ¿Qué sensaciones provoca en su cuerpo? Permítase experimentar todo eso con plena conciencia, hasta que haya pasado el deseo de fumar.

4. En realidad, concentrarse en un pensamiento o recuerdo de naturaleza espiritual es una forma básica de meditación: el primer paso en la profunda aventura de la conciencia. En la Tercera Parte de este libro se habla de manera más completa acerca de la meditación, junto con otras técnicas para ponerse en contacto con la parte más elevada de su ser. Estas técnicas son tremendamente útiles y, quizás, hasta indispensables para acabar con cualquier tipo de adicción. De hecho, jamás conocí a una persona que, meditando con regularidad, practicando yoga o cualquier otra disciplina relacionada con el espíritu, además se comprometiera en comportamientos adictivos. En mi opinión, la única solución duradera frente al hábito de fumar o a cualquier otro tipo de adicción se basa en el descubrimiento de nuestra verdadera naturaleza espiritual.

8

Adicción a la comida

Es sabido que durante los años que pasó en el Instituto de Estudios Avanzados en New Jersey, Princeton, Albert Einstein se abstraía profundamente en reflexiones científicas. Edward Regis, en su historia del instituto, *Who Got Einstein's Office?*, relata un incidente ocurrido una tarde, cuando el eminente físico caminaba solo, cerca de su casa. Cuando se encontró con un colega del instituto, más joven, conversaron unos minutos, hasta que llegó el momento de separarse. Pero Einstein vaciló.

—Discúlpeme, pero quisiera hacerle una última pregunta —dijo—. Hace un momento, cuando nos detuvimos a conversar, ¿iba yo hacia mi casa o en dirección opuesta?

Semejante pregunta hubiese sorprendido a muchas personas, pero los que trabajaban con Einstein habían aprendido a esperar cualquier cosa.

—Usted venía de su casa —respondió el profesor más joven—. Estoy seguro.

—Estupendo —repuso el sabio con una sonrisa—. Eso significa que ya he comido.

Y siguió caminando hacia la oficina.

Tal vez a Einstein, en realidad, no le preocupara la comida, siempre que tuviese suficiente. Pero si no podía comer durante días, puede usted estar seguro de que sus pensamientos se desviarían de los misterios del tiempo y del espacio hacia la mejor manera de conseguir un buen bocado. No hay nadie que, en verdad, sea indiferente a la comida: todos somos "adictos" a ella. Pero la naturaleza indica que esta adicción debe ser positiva desde todo punto de vista, y el Ayurveda pone tanto énfasis en las sensaciones y los placeres relacionados con la entrada de alimento nutritivo a nuestros cuerpos, como en la importancia que esto tiene para nuestra salud.

Es lamentable que una sociedad como la nuestra, que ha eliminado el problema del hambre con más éxito que cualquier otra cultura de la historia, también albergue una amplia variedad de desórdenes alimenticios. Todos ellos son peligrosos, y en sus formas extremas, atentan contra la vida misma. También hay evidencias de que la situación está empeorando, sobre todo en lo que concierne al problema del sobrepeso en la población.

Según las estadísticas, hay una gran posibilidad de que usted tenga conocimiento personal del excesivo aumento de peso. Se estima que la mitad de la población adulta de Estados Unidos hace dieta en algún momento, en cualquier año que se considere. La industria de la pérdida de peso mueve 30.000 millones de dólares anuales. Y sin embargo, el promedio de peso sigue creciendo en Norteamérica y, en la actualidad, los asientos de los estadios de béisbol se hacen dos centímetros y medio más anchos que antes.

Hasta cierto punto, esta expansión colectiva tiene una explicación tecnológica. La gente ya no realiza tanta tarea física como solía y, por lo tanto, quema menos calorías. Además, la dieta de la mayoría es diferente de la de los padres de las actuales generaciones, con más azúcar refinado y más gramos de grasa. Sin embargo, pese a estas variables externas, si tiene usted un sobrepeso importante, hay una buena probabilidad de que sus hábitos alimenticios tengan componentes adictivos.

Éste es un campo en el que la claridad de las pautas y las técnicas ayurvédicas pueden ser de gran utilidad. Para los antiguos profetas que crearon el Ayurveda, el acto de comer y la elección de los alimentos tenían la mayor importancia. Los principios que establecieron, y que fueron ajustados a lo largo de siglos, son notables tanto por su sensatez como por la coincidencia con las investigaciones actuales referidas a los desórdenes alimenticios. Sencillamente, funcionan. La información y las técnicas que presento en este capítulo pueden ayudarle a terminar con los hábitos alimenticios compulsivos o adictivos. Pueden representar los primeros pasos hacia el hallazgo del auténtico placer de comer y la verdadera alegría de vivir.

LA COMIDA Y EL COMPORTAMIENTO ADICTIVO

Los recién nacidos lloran. No saben por qué lloran, pero sí saben que hay algo que está mal, algo les molesta. La madre de un recién nacido sabe que el niño tiene hambre, y que eso es fácil de solucionar. En cuanto los labios del niño se cierran sobre el pezón, y la leche comienza a fluir, ese algo que estaba mal empieza a desaparecer. Donde antes había dolor, ahora hay placer. Esta vez, el niño tampoco entiende el mecanismo en acción. Sólo sabe que comer le hace sentirse mejor, y esta relación es inolvidable para cualquier ser humano.

La naturaleza dispuso que la incomodidad producida por el hambre disminuya con el alimento. Pero, ¿qué pasa con la provocada por las presiones en el trabajo? ¿O por la soledad, o la ira? ¿Qué sucede con el dolor emocional que provoca el grave exceso de peso...? ¿Ése dolor puede ser aliviado por medio de alimentos? Por supuesto que la respuesta a corto plazo es afirmativa, del mismo modo que también pueden resolverse esos problemas, en forma momentánea, con un trago de alcohol o una inyección de heroína. Pero estos paliativos son, en realidad, regresiones a un estado de dependencia infantil, intentos de recuperar la sensación que experimenta un recién nacido que llora y que, de repente, de manera milagrosa, se siente mejor. Por desgracia, en este aspecto no podemos "volver al hogar". Con respecto a la adicción a la comida, podemos extraer la siguiente lección: de adulto, no trate de resolver los problemas como lo hacía cuando era niño.

Si se siente desdichado en el trabajo, es preferible que hable con su superior. Si no está satisfecho con una relación, exprese lo que siente. Y si, en realidad, tiene hambre, sin tener en cuenta si está con sobrepeso o no, coma sin dudarlo. Pero si no tiene hambre, no coma.

¡Si no tiene hambre, no coma! Quisiera subrayar este punto, porque es la clave para superar la adicción a la comida. Cuando nos referimos al alcohol, las drogas y el tabaco, intenté prestar atención a los placeres que brindan esas sustancias, así como a los peligros que presentan. Pero, ¿hará falta

destacar los placeres de la comida? Por cierto, hay personas, como Albert Einstein, que tienen muchas cosas en qué pensar, pero la mayoría de nosotros obtenemos gran felicidad del hecho de comer. Con todo, cuando comer se convierte en la fuente principal de felicidad, o incluso en la única, estamos ante la presencia de problemas. Como sucede con otros comportamientos adictivos, el desafío de superar la adicción a la comida se basa en encontrar placeres positivos, reales. No sólo es cuestión de comer menos sino también de hacer algo agradable en lugar de comer. En la Tercera Parte de este libro, encontrará sugerencias relacionadas con la dieta, y también ciertas ideas que le ayudarán a descubrir nuevas fuentes de alegría en la vida. Contará con abundantes posibilidades de explorar esas nuevas fuentes, porque tendrá a su disposición todo el tiempo que ahora pasa comiendo cuando no tiene hambre. Recuerde: *¡si no tiene hambre, no coma!*

Esto no será necesariamente fácil, al menos al principio, y le exigirá cierta concentración. Pero si aprende a escuchar a su cuerpo y a entender sus mensajes, podrá convertir esta sencilla oración en un principio que le cambiará la vida.

Si ha estado luchando contra la adicción a la comida durante un tiempo, tal vez haya olvidado, en sentido literal, cómo distinguir la genuina hambre de alimentos de esos otros anhelos "disfrazados". El hambre verdadero es una señal que proviene del interior del cuerpo, que dice que el organismo está preparado para ingerir y metabolizar alimento. Hay muchas otras necesidades, insatisfacciones o ansias que pueden impulsarlo a llevarse a la boca alimentos que se almacenarán en forma de grasa. Para aprender a distinguir el hambre verdadera, tendrá que ser consciente. Como hizo con el cigarrillo, deberá aprender a convertir actos de comer automáticos, reflejos, en otros conscientes, reflexivos, y hay una técnica asombrosamente simple para ayudarle en esto. Si se atiene a ella las dos semanas que siguen, no sólo comerá con más sabiduría sino que también podrá prestar atención a su cuerpo de un modo esencial en lo que se refiere al enfoque ayurvédico de la salud humana.

Antes de empezar a comer, ya sea la colación de media mañana o una cena formal, ponga su mano sobre el estómago y evalúe su nivel de hambre. ¿Le dice su estómago que, realmente tiene hambre, o el deseo de comer proviene de otro lado? ¿Qué es lo que en verdad siente? ¿Qué es lo que en realidad quiere?

Cuando empiece a comer, de vez en cuando ponga otra vez su mano sobre el estómago, para confirmar el nivel de satisfacción. Coma hasta llegar a una saciedad cómoda, pero no siga comiendo hasta que ya no pueda tragar otro bocado. El estómago no es como el depósito de combustible de un coche que hay que llenarlo cada vez que uno se detiene en una gasolinera. El Ayurveda enseña que el sistema digestivo humano es como el fuego: demasiado combustible puede apagarlo. Es preferible no comer más que hasta tres cuartos de su capacidad y, con la práctica, aprenderá a identificar ese punto con precisión. Pruebe ponerse la mano sobre el estómago varias veces por día, para averiguar su nivel de hambre. Hasta podría llevar un registro escrito, anotando cómo se siente a diversas horas, y cómo se refleja en esto su comportamiento alimenticio.

La conciencia, la intención, la atención y el aprendizaje que permite concentrarse en la inteligencia interna del organismo, así como la sabiduría del Universo que se expresa en usted, serán los principios que lo guiarán hacia una alimentación saludable. Nadie podrá decirle cuánto "debería" pesar, o cuánto "debería" comer. En verdad, es usted el que lo sabe. Lo único que necesita es tomar conciencia de la sabiduría interna de su cuerpo.

LA ADICCIÓN A LA COMIDA Y LOS DOSHAS

Vata, Pitta y Kapha se expresan a través de la comida de maneras características. Pero, como sucede con las demás adicciones, por lo general es el desequilibrio de Vata en la conducta adictiva relacionada con la comida el que ha estado dominando durante cierto período. Téngalo en cuenta mientras lee las descripciones que vienen a continuación. Aunque los resultados del cuestionario mente cuerpo le indiquen que usted es del tipo Kapha o Pitta, preste especial atención a la información sobre los hábitos alimenticios de Vata. En la Tercera Parte, hallará sugerencias para una dieta especialmente destinada a apaciguar Vata.

Vata

La irregularidad es la marca de fábrica de la conducta Vata relacionada con la comida, sobre todo cuando este dosha está desequilibrado. A veces, los tipos Vata deciden llevar a cabo una dieta muy bien organizada; incluso pueden interesarse, de repente, en los beneficios nutritivos que brindan ciertos alimentos, y en los peligros posibles de pesticidas y otros agregados. Sin embargo, de la misma manera súbita, surgirá en ellos un ansia aguda de algo completamente diferente: helado, bizcochos, carnes rojas, chocolate, y para una persona con este dosha dominante, son tentaciones difíciles de resistir. Esta conducta de devorar o morir de hambre se puede comparar, en cierto sentido, con el bebedor de alcohol, y da la sensación de que la vida escapa al control de uno. Aunque resulte paradójico, también es posible que los tipos Vata coman de manera regular e incluso constantemente. Como fumar en cadena, llevarse cosas a la boca todo el día no es otra cosa que una manifestación de ansiedad general.

Pitta

Como en todos los otros aspectos de la vida, la manera de comer de los Pitta se distingue por una necesidad de organización, de previsibilidad. A la mayoría de los tipos Pitta les gusta hacer tres comidas cada día, y prefieren hacerlas a la misma hora. La composición de las comidas puede tener menos importancia que su regularidad. El filósofo Ludwig Wittgenstein, cuyas ideas reflejan el punto de vista Pitta llevado al extremo, comentó una vez: "No me importa lo que coma con tal de que sea lo mismo todos los días". Es probable que la mayor parte de los Pitta no lleguen a ese extremo, pero tienden a alterarse si sus costumbres alimentarias, o de cualquier otro aspecto de sus vidas, se interrumpen. Cuando se produce esa interrupción, cosa inevitable, es muy probable que estalle la cólera subyacente bajo la superficie de la personalidad de este dosha. Muchos adictos Pitta a la comida usan el acto de comer como una expresión de ira: en sentido literal, "se tragan la rabia". Sin tener conciencia de ello, los tipos de este dosha, cuando están desequilibrados, pueden llegar a considerar el exceso de comida habitual como un acto de rebelión, como una expresión de desafío contra la injusticia del mundo.

Kapha

La sensualidad innata de Kapha se expresa a menudo a través de la comida y, cuando se niegan o ignoran otras fuentes de placer, es frecuente que los tipos Kapha en desequilibrio se hagan adictos a la comida. Combinando aspectos del comedor compulsivo de Vata con la exigencia Pitta de tres comidas sustanciosas por día, los Kapha pueden llegar a comer de manera constante, tanto a las horas de las comidas como en cualquier otro momento en que vean algo tentador en una panadería o confitería. El deseo de evitar la confrontación, ya sea con otras personas o con cuestiones emocionales internas, es inherente a la personalidad de este dosha. El alimento puede servir para "encubrir" o "apagar" esas emociones intensas, pero es probable que surja la depresión pues, en realidad, no se estará lidiando con los sentimientos que constituyen la médula del problema. En un círculo vicioso, los

Kapha desequilibrados tratarán de enfrentar la depresión comiendo todavía más. Es importante advertir que la adicción a la comida suele acarrear serias dificultades de salud a las personas de este dosha. Dos enfermedades muy comunes, exacerbadas por la pasión Kapha por los dulces, son la diabetes y la obesidad.

DIETA SALUDABLE: LA ALTERNATIVA A LA ADICCIÓN A LA COMIDA

En Occidente, los alimentos se clasifican de acuerdo con su contenido graso y la cantidad de calorías que generan. En años recientes, también hemos diferenciado los así llamados alimentos orgánicos de los que pasan por un proceso complejo y contienen varios aditivos. Pero aunque usemos esas palabras cuando elegimos nuestros alimentos, me parece poco probable que muchas personas sepan lo que significa el término. Muchos, sencillamente se apoyan en la idea de que "menos es más"; en otras palabras, está bien que tengan menos calorías y menor proporción de grasa. Según las necesidades del individuo, esto no siempre será cierto. Por ejemplo, si uno necesita una energía inmediata y sostenida, los alimentos con elevada proporción de calorías pueden ser provechosos.

El Ayurveda se basa en un sistema pragmático para clasificar los alimentos. No se utilizan números, gramos ni calorías por gramo. Por el contrario, las categorías ayurvédicas se basan en el sabor que sentimos cuando nos llevamos los alimentos a la boca. Este sistema basado en los sabores está muy desarrollado, y el Ayurveda diferencia seis categorías. Al familiarizarse con los seis sabores, y seguir el importante principio ayurvédico de incluir los seis en todas las comidas, podrá eliminar la mayoría de los disparadores que subyacen en el comportamiento alimenticio adictivo. También disfrutará más de su comida.

Los seis sabores son: *dulce*, *agrio*, *salado*, *picante*, *amargo* y *astringente*. Sin duda, cuatro de ellos son muy familiares, aunque el picante y el astringente podrían resultarle nuevos. He aquí ejemplos comunes de los seis sabores:

- **Dulce**: azúcar, miel, arroz, trigo, pan, leche, crema
- **Agrio**: queso, yogur, limones, ciruelas y otras frutas agrias
- **Salado**: cualquier alimento al que se le haya añadido sal
- **Picante**: todos los alimentos de sabor intenso y ardiente, como los chiles picantes, la salsa, la pimienta Cayena y el jengibre

- **Amargo:** espinaca, lechuga romana y todas las verduras de hoja
- **Astringente:** guisantes, lentejas, granadas, manzanas, peras y calabazas

El sabor dulce es, de lejos, el más popular en casi todos los países occidentales y merece una atención especial. Nuestra "adicción al azúcar" suele comenzar en la niñez temprana, con los alimentos comerciales para el desayuno y los caramelos, y a muchas personas el ansia de dulces les dura toda la vida. Más aún, ciertos alimentos que no son dulces en sí mismos, crean deseo de dulce: comer carnes rojas, por ejemplo, a menudo hace que muchas personas deseen un postre dulce. A medida que pone en práctica un enfoque ayurvédico de la dieta, empiece por evaluar el papel que desempeñan los dulces en sus hábitos alimenticios. Es muy probable que este único sabor constituya una porción importante del total de su ingesta de alimentos. Para disminuir el ansia de dulces, pruebe usar un poco de miel como sustituto de los que tienen azúcares refinados. Como el azúcar provoca deseo de más azúcar, tal vez añadir miel al desayuno puede quebrar la cadena de alimentos edulcorados que, de otro modo, podría durar todo el día.

Una vez que haya tomado conciencia de los alimentos dulces que incluye su dieta, también empezará a notar la presencia o ausencia de otros sabores. Con un pequeño esfuerzo, podrá planear sus comidas de modo que los incluya a todos, y le sorprenderán los efectos notables que esto puede tener, no sólo sobre sus hábitos de comida sino también sobre su vida, en general. Los sabores ejercen una influencia directa en las emociones, algo evidente en el lenguaje que empleamos para describirlas; frases tales como "dulces recuerdos", "amarga pena", y "uvas agrias" serían unos pocos ejemplos. También pueden influir en nuestra condición física. Ciertas especias picantes son capaces de hacernos brotar sudor, mientras que los sabores fríos, como la menta, provocan una sensación general de frescura.

Al incluir todos los sabores en sus comidas, las convertirá en una experiencia más completa y satisfactoria, tanto en el aspecto emocional como nutritivo. Un buen libro de cocina ayurvédica le ayudará a pensar sus comidas, y la misma planificación le dará una mayor conciencia de lo que come. Recomiendo especialmente el libro de cocina *A simple Ceremony*, de Ginna Bragg y de mi colega, el médico David Simon.

Como los desórdenes alimenticios predominan tanto en nuestra sociedad, han sido objeto de estudio intenso por parte de las comunidades científica y comercial. A cualquiera que pueda ofrecer una manera rápida y fácil de controlar el abuso de comida le esperan enormes ganancias y, en ocasiones, se dieron grandes éxitos en este campo, siempre en el corto plazo. Sin embargo, quisiera enfatizar, una vez más, la importancia de la intención sincera y de la conciencia espiritual en cualquier solución permanente, para cualquier comportamiento adictivo.

Pienso que la historia siguiente ilustra bien los límites de una forma puramente mecánica de abordar el tema de la adicción a la comida. La cuentan el doctor en medicina Andrew Weil y Winifred Rosen en su excelente libro, *From Chocolate to Morphine*.

Una joven había sido muy adicta al chocolate durante varios años. Necesitaba comer chocolate varias veces al día, y su vida se había organizado en torno a esta compulsión. Si despertaba en mitad de la noche y descubría que no tenía chocolate en la casa, sin vacilar, tomaba el coche y buscaba un negocio de los que permanecen abiertos toda la noche para satisfacer esa necesidad. Después de varios años de esta situación, fue a una clínica especializada en trastornos de la alimentación. El tratamiento no se parecía en nada a lo que ella habría esperado pero, de todos modos, fue muy eficaz. Después de comprometerse a asistir a diez sesiones en la clínica, la hicieron sentarse frente a un gran espejo. Luego, le dieron una cantidad de chocolatines y le colocaron en la muñeca un dispositivo que le transmitía constantemente una corriente eléctrica de baja intensidad, por completo indolora. Durante treinta minutos, se miró en el espejo mientras comía los chocolates, pero en lugar de tragarlo, le indicaron que escupiese cada bocado en un plato de papel. Al principio, este procedimiento le pareció un poco absurdo, y no surtió ningún efecto en las primeras siete sesiones. La adicción de la joven al chocolate seguía siendo tan intensa como siempre, y sólo continuó asistiendo porque ya había pagado las diez sesiones. Sin embargo, después de la octava, empezó a notar que disminuía su interés por el chocolate, y aunque parezca increíble, la compulsión había desaparecido por completo al finalizar la décima. Han pasado varios años, y la adicción al chocolate no volvió. ¡Por desgracia, luego se hizo adicta a las tartas!

Al relatar esta historia, mi propósito es mostrar las posibilidades y los límites de un enfoque totalmente behaviorista de la adicción a la comida. Sin duda que ese tipo de enfoque es muy ingenioso.

También pueden resultar eficaces en el tratamiento del problema en un sentido estrecho. Pero sólo la conducta adictiva se suprime y las necesidades espirituales subyacentes permanecen insatisfechas. La base de la adicción ha quedado intacta, y es casi inevitable que encuentre otro cauce para manifestarse.

La fuente real de cualquier adicción, y la verdadera oportunidad de un desarrollo positivo del ser humano, sólo es accesible a través del espíritu. Con respecto a esto, suelo citar el ejemplo de alguien que oye música de Beethoven por radio, y que, tratando de encontrar a Beethoven, desmontará el aparato de radio. Pero el músico no está en la radio, y el cerebro, el sistema nervioso central, el sistema digestivo, y todos los "tornillos y tuercas" del cuerpo no son, en realidad, "tornillos y tuercas". Son expresiones de un ser superior, y puede accederse a ellos por medio de la intención sincera. Y por muy enraizada que parezca estar la adicción, el poder espiritual que hay dentro de usted puede hacerla desaparecer.

9

OTRAS ADICCIONES

Hasta aquí, hemos hablado de las adicciones referidas a sustancias, y hemos visto que formaron parte de la historia humana casi desde el principio. La sociedad contemporánea, en cambio, es un medio ambiente en el que han surgido nuevas clases de comportamientos adictivos. En este capítulo, echaremos un vistazo breve a tres ejemplos de estas adicciones "modernas". Si bien no se basan en el abuso de sustancias y no son una amenaza directa para la vida, son pautas de conducta características de la adicción clásica. Aun así, pueden ser más difíciles de reconocer y enfrentar. Las adicciones al trabajo, a las relaciones destructivas y a la televisión no implican ninguna actividad ilegal. Son adictivas en el sentido de que invaden una zona desproporcionadamente grande de la vida de una persona... o tal vez, toda.

ADICCIÓN AL TRABAJO

Todos conocen la palabra trabajohólico, aunque no creo que sea un término preciso. Es una palabra que sugiere una analogía entre la adicción al trabajo y la adicción al alcohol, que son muy diferentes entre sí.

Por ejemplo, a la persona que bebe demasiado podemos describirla como "fuera de control". El alcohólico no puede controlar su conducta con respecto a la bebida. A medida que la adicción al alcohol avanza, esta falta de control se expresa en formas evidentes: temblores, caídas, accidentes de tránsito, dificultades para dormir o para levantarse, y toda una variedad de otras señales que indican que los sistemas de orientación física, intelectual y emocional de la persona no funcionan bien. De parte de ciertos alcohólicos, esto hasta podría ser cierto tipo de objetivo o estrategia inconsciente para lidiar con necesidades insatisfechas que se arrastran desde la infancia. Cuando pierde el control, el alcohólico regresa a la condición en que otras personas tienen que ocuparse de él. Tal vez haya quienes no estén de acuerdo, pero el alcohólico descontrolado está pidiendo, y hasta exigiendo, ayuda en cuestiones básicas de la vida.

El así llamado trabajohólico hace algo muy diferente. Mientras que el alcoholismo suele ser un modo casi infantil de apelar a las personas, trabajar todo el tiempo es un modo de apartarse de los demás. Es retraerse a una zona de la vida en la que es necesario el control, y en la que la habilidad tiene importantes recompensas. Por debajo del comportamiento del alcohólico puede subyacer una fantasía infantil, pero el adicto al trabajo se ve a sí mismo como un adulto total.

La fantasía de control que da origen a la adicción al trabajo proviene casi siempre de la sensación de que, otros aspectos de la vida están fuera de control. Para ser más específico, los adictos al trabajo suelen creerse poco preparados para enfrentar las tensiones de las relaciones familiares:

—No me molesten, tengo que trabajar —suena como una excusa respetable, y hasta admirable.

"Corta el césped", "Lava al perro", y "No olvides nuestro aniversario", son pedidos que se acallan con un: "¡Estoy trabajando! ¡Esto es muy importante!".

Hace unos años, tomé contacto con una niña que necesitaba prolongadas internaciones y varias intervenciones quirúrgicas serias. El tratamiento tuvo éxito, pero pasó muchas semanas seguidas en una guardia pediátrica donde el único entretenimiento consistía en caminar por un pasillo o visitar la sala de juegos de la guardia. Aunque el hogar de la familia estaba en una ciudad pequeña, a cierta distancia del hospital, la madre de la niña estaba con ella todos los días y el padre viajaba en avión para visitarla todos los fines de semana.

En un cuarto vecino había otra niña a la que el padre jamás visitaba; al parecer, brindar compañía a esta chica durante su hospitalización era responsabilidad exclusiva de la madre. Esto llamaba la atención de todos los que andaban por el piso, pues el padre era un hombre muy famoso y poderoso de la industria del entretenimiento, y la prensa difundía con todo detalle sus operaciones multimillonarias.

En el curso de mis visitas al hospital, descubrí que cada vez me enfadaba más con el gran comerciante que no podía hacerse tiempo para ver a su propia hija. Era difícil creer que pudiera comportarse así, y traté de imaginar qué le diría si alguna vez me topaba con él. Desde luego, hubo una ocasión en que me encontré con él. Hizo una visita a la hija y dio la casualidad de que yo estaba presente en ese momento. Cuando lo vi, toda la cólera que me despertaba ese individuo se evaporó, pues me resultó evidente que estaba dominado por el terror. Las señales de su poder: la manera de vestirse, el teléfono móvil, el reloj, el corte de pelo, no tenían ningún significado en el ambiente hospitalario. Aquí, debía dejar de lado su propia importancia y esto lo abrumaba de un modo primitivo. Se evaporó, se sintió invisible. Cuando se marchó, la disminución de la tensión en el ambiente fue palpable, y no dudo de que eso fue muy terapéutico para la hija.

Siempre tuve la sensación de que la seriedad es una condición tóxica de la mente, y el adicto al trabajo ha hecho una fuerte inversión en seriedad: el trabajo es serio, él lo toma con seriedad y, por lo tanto, debe de ser considerado muy seriamente. Pero, de hecho, todo trabajo es un modo de retraerse de las responsabilidades que, tal vez, sean mucho más serias de lo que el adicto esté dispuesto a admitir. Si mientras está despierto usted dedica cada minuto al trabajo, pregúntese si en realidad esto es necesario o es una elección. ¿Qué tendría que hacer si su trabajo no tuviese una importancia tan suprema? Una vez que logre sentirse a gusto en otras áreas de la vida, ya no necesitará del refugio que le proporciona el trabajo.

ADICCIÓN AL SEXO

En toda la historia occidental, el sexo ha sido tan estigmatizado y vilipendiado, que es preciso ser muy cuidadoso al juzgar cualquier clase de comportamiento sexual. Con todo, no hay duda de que existen personas tan preocupadas por el sexo que esto les acarrea dificultades en la vida. Podemos referirnos a esta situación como adicción al sexo, pero es necesario estar atento a la peligrosa tendencia a juzgar con dureza cualquier clase de comportamiento sexual diferente del propio. Por otra parte, no hay duda de que la conducta sexual es muy importante, además de ser blanco de moralistas.

La sexualidad es un tema fascinante y sumamente complejo. En el pequeño espacio que podemos dedicar aquí a la adicción sexual, me referiré a dos condiciones que, al parecer, dan como resultado este comportamiento. En la primera de ellos, hay un estado de sobreestimulación emocional y físico que exige alivio con desesperación. En la segunda, hay un tipo de existencia casi opuesto: un paisaje plano, que necesita con urgencia algo de excitación.

El sistema nervioso humano no puede experimentar dolor y un orgasmo al mismo tiempo. Como el dolor físico y emocional están ausentes en el momento del orgasmo, de esto se deduce que, cuantos más orgasmos, menos dolor. Lo menciono porque he advertido que muchos adictos al sexo sufren intenso dolor. A menudo, se trata de dolor físico, sobre todo los hombres, y he observado que los hombres con problemas crónicos de salud se preocupan por el sexo con una frecuencia desproporcionada. El gran poeta lord Byron, por ejemplo, tenía un pie deforme, y sufrió intensos dolores durante toda su breve vida. Según los estándares actuales, Byron sería considerado adicto al sexo, sin lugar a dudas.

Por otra parte, el sexo puede brindar escape emocional tanto como al dolor físico, no sólo en el momento del orgasmo sino en todas las etapas de búsqueda y seducción. Con suma frecuencia, lo que en realidad quiere el adicto es gustar, pero como siente que no lo logra, la alternativa es ser amado, por lo menos en sentido físico. El sexo brinda cierto tipo de tranquilidad a las personas que se convierten en adictas para huir del dolor. Los organismos de estas personas sufren de una sobreestimulación crónica —en términos ayurvédicos, Vata padece un fuerte desequilibrio—, y el objetivo del sexo consiste más en apagar los fuegos internos que en encenderlos.

Una segunda clase de adicción sexual tiene origen en un tipo de subestimulación, que culmina en la depresión. Se hace necesario escapar a una existencia sin propósito aparente y, al parecer, el sexo puede brindarlo. Una vez, conocí a alguien que logró acabar con la adicción sexual cuando, de repente, ésta se hizo clara para él. Tuvo uno de esos momentos espirituales que, a mi juicio, son casi imprescindibles para liberarse de las conductas adictivas. Ese hombre había heredado bastante dinero, y podía dedicar todo su tiempo a perseguir mujeres. Los romances que prefería eran los que requerían mucha inventiva, una ardiente persecución y viajes transcontinentales. Un día, viajaba en un barco que iba rumbo a las islas griegas en busca de cierta mujer, cuando lo sacudió una revelación asombrosa. Por primera vez, vio que no era la mujer lo que en realidad quería, sino la intensidad, la planificación, el propósito que le daba a su vida. En ausencia del sexo, y de todo lo que éste acarreaba, no se le habría ocurrido qué otra cosa hacer.

El sexo puede significar todo o nada. Quizá, lo mejor sea que signifique algo intermedio.

ADICCIÓN A LA TELEVISIÓN

La televisión fue inventada en 1920 y, en el curso de diez años, la tecnología mediática se desarrolló por completo. Hace cincuenta años, la televisión podía hacer casi todo lo que hace en la actualidad, pero la segunda guerra mundial demoró la distribución al público. Cuando, al fin, se hizo ampliamente accesible, a finales de la década de los cuarenta y principios de la de los cincuenta, se hizo muy popular casi de inmediato. En cuanto los aparatos de televisión empezaron a aparecer en los hogares, en el estilo de vida de millones de personas se produjeron cambios importantes. Estas transformaciones continuaron y se aceleraron, hasta el día de hoy.

Hoy, millones de norteamericanos miran televisión hasta ocho horas cada día, pero, ¿responde eso al criterio de diagnóstico del comportamiento adictivo? Hay muchos indicios que lo indicarían. Por ejemplo, hemos visto que la presencia del síndrome de abstinencia es una de las características que definen a la adicción, y es evidente que la televisión lo provoca. Ha habido dos estudios en los que se pagaron cientos de dólares a algunas familias para que no mirasen televisión, pero ambos terminaron de manera prematura cuando los sujetos se sintieron incapaces de soportar la privación. Otra investigación indica que el síndrome de abstinencia de televisión para los televidentes abusivos se agrava entre cinco y siete días después. Entre los síntomas se cuentan agresividad, ansiedad, depresión y dificultades para ocuparse del tiempo que queda libre. Los sujetos que logran mantener la vista fuera de la pantalla durante una semana, luego empiezan a sentirse mejor con el nuevo modo de vida.

Otro indicio del comportamiento adictivo es el sentimiento de culpa que lo acompaña, y que, de algún modo, parece estimular la adicción más que suprimirla. En un estudio de las actividades del tiempo libre, la televisión fue la única que despertó sentimientos de culpa. Otras actividades recreativas generaban más placer cuanto más se practicaban, pero la televisión provocaba más culpa que gozo.

Hay muchos otros paralelos entre el hábito de mirar televisión y otras adicciones. Como el de fumar cigarrillos, está muy difundida entre los pobres. Como en el caso de la heroína y de otros narcóticos, brinda un mundo de fantasía que, con el tiempo, se convierte en algo similar a una realidad alternativa para el televidente. Y, como todas las adicciones, proviene de la ausencia de placer genuino, de dicha y de plenitud en otras áreas de la vida.

¿Por qué la gente mira televisión tantas horas por día? Según investigaciones entre los televidentes habituales, surgieron cuatro motivaciones básicas: deseo de huir del aburrimiento de la vida cotidiana; deseo de tener algo de qué hablar con otras personas; placer de ver personas y sucesos en la pantalla que se puedan comparar con la propia experiencia; y estar en contacto con las noticias y hechos de todo el mundo. Excepto, tal vez, la última, todas las demás razones para mirar televisión se relacionan con la soledad y con carencias en la vida real del televidente adicto. Cuando en la vida hay verdadera belleza y aventura, no hay necesidad de dramatizarla, comparándose con personajes de programas o telenovelas. Pero cuando no existe más que el aburrimiento de la vida cotidiana, las aventuras prefabricadas de los personajes ofrecen una alternativa.

Un psicoanalista eminente ha definido el aburrimiento como un "deseo del deseo", Nos aburrimos cuando queremos algo, pero no sabemos qué es ese algo. En lugar de buscar la respuesta en los programas de televisión, deberíamos aprender a reconocer nuestras auténticas necesidades y encontrar las maneras de satisfacerlas en las cosas de todos los días. Esto no exige grandes sumas de dinero, gran inteligencia ni un talento extraordinario. Todos tenemos capacidad de crear placer genuino en nuestras vidas: todos lo hicimos de niños y aunque tal vez nos hemos alejado de eso hace muchos años, la posibilidad de crear alegría siempre está en nosotros, esperando ser redescubierta y explorada.

Una de las cosas interesantes de la televisión es el modo en que empequeñece las cosas. Casi todo lo que aparece en la pantalla está en un tamaño reducido con respecto al que tiene en el mundo real. En cierto sentido, esto se cumple con respecto a todos los comportamientos adictivos: disminuyen nuestra experiencia del mundo. Las adicciones requieren tiempo, dinero, energía intelectual y hasta amor, que pueden y deben encontrar otros modos de expresión. En los capítulos que siguen veremos algunas de las técnicas ayurvédicas para extender la capacidad de participar a pleno en el mundo y para experimentar la dicha del propio espíritu.

TERCERA PARTE

Restablecer el equilibrio

En un capítulo anterior expuse la idea de que el adicto es un buscador de dicha, que la busca en lugares equivocados, y que se ha desviado, quizá por muchos años. En la Segunda Parte, hemos explorado algunos de esos desvíos. Todo eso, sin embargo, era una preparación para las ideas y las técnicas que presentamos en las páginas siguientes. En otras palabras, dondequiera que haya estado en el pasado, ahora, ¡ha llegado "al lugar correcto"!

A pesar de las diferencias aparentes, los temas que trataré en la Tercera Parte —meditación, ejercicio, dieta para equilibrar Vata, y actividades diarias placenteras—, son diferentes formas de encarar el mismo objetivo. Si tuviese que describir esa meta en la menor cantidad posible de palabras, lo llamaría salud perfecta. El concepto ayurvédico de salud perfecta se basa en la idea de que el cuerpo, la mente y el espíritu son en realidad una sola cosa y, en consecuencia, se alcanza cuando los aspectos físico, intelectual y espiritual de nuestra naturaleza trabajan juntos, con eficiencia y en armonía. El propósito del material de la Tercera Parte y el del Ayurveda como un todo, consiste en ayudarle a descubrir, usar y disfrutar de las herramientas que la naturaleza ha puesto en sus manos para convertir ese objetivo en realidad.

Los resultados del cuestionario de mente y cuerpo le dirán cuál es su dosha dominante. En un sentido fundamental, se refiere a su ser físico y emocional. El punto de equilibrio de su naturaleza quedó fijado en el momento del nacimiento, y en sánscrito ese punto se denomina *prakriti*, palabra que significa, literalmente, "naturaleza". Pero hay toda clase de tensiones que pueden desviarlo de la condición natural de armonía del organismo, y que dan como resultado el desequilibrio llamado *vakriti*. Aunque su naturaleza intrínseca no haya cambiado y el dosha dominante siga siendo el mismo, el presente estado desequilibrado puede significar que hay otro dosha ejerciendo alguna influencia indebida. Cuando hace ya un tiempo que el comportamiento adictivo está presente, casi siempre el dosha que influye en exceso es Vata, y es importante señalar que hasta los individuos cuyo dosha natural es Vata, también pueden sufrir desequilibrios de este dosha. Ya que es Vata la influencia desestabilizadora en la mayoría de las personas con historias de adicciones, las técnicas que ofrecemos en esta sección del libro están pensadas para apaciguar el dosha Vata. Una vez logrado esto, cuando el organismo está más cerca del estado natural de prakriti, podrá hacer más adaptaciones a la dieta, la rutina de ejercicios y las demás prácticas ayurvédicas, de manera que no sigan orientadas sólo a lograr el equilibrio de Vata. Para aprender más acerca de esto, le sugiero que consulte mi libro: *La Perfecta Salud* o que consiga una cita con un médico ayurvédico.

Si bien todo el material que presento en la Tercera Parte puede servir de gran ayuda en el tratamiento del comportamiento adictivo, quisiera enfatizar la particular importancia de la meditación. Todas las adicciones tienen una cosa en común: su poder depende de algo externo, de algo que está fuera de nosotros, en el mundo, extrínseco al ser individual. Puede ser un polvo, un líquido o una máquina, pero no es algo con lo que uno nace: es preciso encontrarlo, comprarlo y beberlo o tragarlo. Por el contrario, la meditación viene desde adentro. Usted ya tiene todo lo que necesita para meditar. Ya lo tenía cuando llegó al mundo. Nadie puede vendérselo y nadie puede quitárselo. La meditación es lo contrario, la antítesis del comportamiento adictivo, y lo insto a prestar especial atención al siguiente capítulo sobre meditación.

10

Meditación

Ya estamos en condiciones de entender que la adicción sería un intento de satisfacer varias necesidades diferentes, y hemos visto que esas necesidades pueden entenderse bajo las pautas del tipo individual de mente y cuerpo. Una persona con Vata dominante bebería para relajarse. En cuanto al tipo Pitta, beber le daría la oportunidad de probar y demostrar el dominio de sí, mientras que, para un Kapha, beber sería una manifestación de depresión, y de retraimiento en relación a los demás. Desde la perspectiva ayurvédica, el propósito de la meditación es muy diferente de cualquiera de estas finalidades, pese a la creencia ampliamente difundida de que es, sobre todo, una manera de relajarse. De hecho, uno de los aspectos más notables de la meditación es su capacidad de abarcar estados mentales aparentemente disímiles en una experiencia única: la experiencia que yo denomino como de alerta reposado.

La palabra reposado puede resultar bastante directa, pero, ¿qué sucede con alerta? ¿Alerta a qué? Para responder eso, por un momento tendremos que observar cómo funcionan nuestras mentes en la vida cotidiana. Tal vez, lo más obvio en este sentido sea el hecho de que están siempre en funcionamiento. Un pensamiento lleva a otro en una cadena que se extiende de la mañana a la noche. Recuerdos, deseos, aspiraciones al placer y aversiones al dolor... para la mayoría de las personas nunca hay un momento interior tranquilo, e incluso la propuesta de detener esa "corriente de conciencia" puede dar un poco de miedo.

Si bien la actividad incesante del pensamiento es algo a lo que estamos acostumbrados, existe una vivencia muy diferente que muchas personas comparten y al entenderla podremos empezar a captar el significado del alerta reposado.

En este mismo instante, trate de recordar cómo es despertar de un sueño profundo. Cuando abre los ojos, tal vez le lleve un momento recordar dónde está. Durante uno o dos segundos, incluso puede suceder que no sepa quién es. Pero, poco a poco, la maquinaria de pensamientos y sensaciones comienza a hacerse cargo: la personalidad, los recuerdos, las obligaciones del día que comienza, los sentimientos hacia las diversas personas de la vida de uno... todo esto se coloca en su lugar. Con todo, es innegable que, por un momento, hay un "yo" que, de algún modo, está separado del "yo". Había un "yo" que existía como un mero observador y que estaba al margen del sendero de los pensamientos y sentimientos que uno carga durante el día. La meditación le ayudará a reconocer la existencia de ese mágico observador silencioso, y luego, a acceder a él con regularidad. Poco a poco, aprenderá a usar ese estado de alerta reposada como una especie de brújula o punto de centralización, un lugar de fuerza desde el cual puede extenderse la influencia del Espíritu a todas las áreas de la vida. Cuando esto empiece a suceder, la estática mental de los pensamientos cotidianos se convertirá en una nítida armonía, que constituye la verdadera naturaleza de uno.

A lo largo de años, numerosos estudios demostraron los beneficios de la meditación para personas de todas las condiciones, que transitaran todos los senderos de la vida, desde pacientes con cáncer hasta atletas profesionales. La técnica simple pero potente que presentamos aquí, podrá serle muy útil para restablecer el equilibrio del organismo y para ponerse en contacto con el propio ser superior.

RESPIRACIÓN
PARA LA MEDITACIÓN

Pese a lo que podría pensarse, hay muchas formas de meditación que no necesitan de preparación o instrucción especial. El método que presento aquí no requiere más que una atención concentrada pero distante del proceso de la respiración; en otras palabras, una actitud de conciencia hacia la respiración.

Si le parece demasiado fácil, piense en lo que sucede cada vez que usted aspira aire. Con cada inhalación, el cuerpo recibe decenas de billones de átomos, minúsculos fragmentos del universo que, durante siglos, han pasado por incontables seres vivos, y que seguirán haciéndolo durante mucho tiempo, cuando usted ya no esté aquí. En este sentido, respirar es compartir, en su acepción literal. Es un proceso biológico que nos pone en contacto con el pasado y el futuro de nuestra propia especie y con todos los otros seres vivos.

Para valorar el significado de la respiración en el nivel de la experiencia cotidiana, piense en la íntima relación entre el modo en que respira y el modo en que se siente, tanto en el aspecto físico como emocional. Cuando uno está asustado o agotado, el ritmo de la respiración se acelera y se hace más superficial. Pero cuando está relajado, respira de manera profunda y regular y, como consecuencia, se relaja aún más. Respirar es el vínculo entre los elementos biológicos y espirituales de nuestra naturaleza. Y la respiración para la meditación es una herramienta potente para unir esos elementos en el todo que es el ser.

Practique respiración para meditación dos veces cada día, por la mañana, y en las primeras horas del anochecer. Cada sesión debe durar de 20 a 30 minutos. A medida que se vuelva más experimentado con la meditación, su mente se aquietará, y usted podrá acceder al estado de alerta reposada que precede al pensamiento cotidiano. La tensión del comportamiento adictivo disminuirá de manera natural, porque se ha descubierto una nueva fuente de paz, alegría y fuerza interior.

Respiración para la meditación

1. Disponga de un tiempo en que pueda estar libre de interrupciones y responsabilidades.
2. En un lugar silencioso, sin ruidos de tráfico y de otras distracciones, siéntese cómodo en el suelo o sobre una silla de respaldo recto. Cierre los ojos.
3. Respire normalmente, pero empiece a concentrar la atención en el ritmo de la

respiración. Sin intentar controlarla ni influir sobre ella de manera alguna, tome conciencia del aire que entra y sale de su cuerpo.

4. Si advierte que la respiración se acelera o se hace más lenta o, incluso, cesa por un momento, limítese a observarlo sin resistencia ni estímulo. Deje que el ritmo normal se reanude por sí mismo.
5. Si los pensamientos lo distraen o se siente desconcentrado en alguna forma, no se resista. Limítese a dejar que la atención vuelva a la respiración de manera natural.
6. Continúe con esta meditación durante 20 o 30 minutos. Luego, aún sentado y con los ojos cerrados, destine unos minutos más para volver gradualmente a la conciencia cotidiana.
7. Abra lentamente los ojos y deje que los sentidos capten lo que ve y oye alrededor.

SONIDOS PRIMORDIALES DE LA MEDITACIÓN

A medida que empiece a percibir los beneficios de la meditación cotidiana, es probable que quiera aprender más acerca de otras técnicas de meditación. Ciertas formas de meditación emplean sílabas del alfabeto sánscrito para formar *mantras*, o sonidos primordiales que se repiten, como un modo de generar una conciencia agudizada. En el *Centro Chopra para el Bienestar* en La Jolla, California, y en otras instituciones hay instructores que enseñan este método. Durante el curso, el alumno de sonido primordial para meditación, recibe un mantra personal, basado en sus necesidades individuales.

11

EJERCICIO

El verdadero propósito del ejercicio es vigorizarnos y fortalecernos en cuerpo, mente y espíritu. Aunque para mucha gente el ejercicio adopta la forma de la competencia o de actividades físicas de gran exigencia, es evidente que no será apropiado en el caso de que cualquier forma de adicción haya desestabilizado el sistema mente cuerpo. Si las drogas, el alcohol, los hábitos malsanos de alimentación o tal vez una combinación de todo eso, lo han impulsado a llevar un estilo de vida sedentario, usted preferirá empezar a hacer ejercicios de una manera que no le imponga exigencias repentinas a su cuerpo. Por el contrario, si usted se ha obsesionado y se ha presionado hasta el límite en el trabajo, un ejercicio moderado también será muy beneficioso.

Piense en el ejercicio como la oportunidad de entender. A medida que mueve el cuerpo, empiece a oír e interpretar las sensaciones que recorren sus miembros. ¿Qué le dicen acerca de usted mismo, tanto en el aspecto físico como emocional? Si ha estado sujeto a la adicción, por el tiempo que sea, descubrirá que está fuera de forma, sin lugar a dudas. También es posible que descubra que quiere detenerse demasiado pronto o continuar demasiado tiempo. Comprender estas cosas es tan importante como cualquier ejercicio que realicen sus músculos y sus tendones. Son los comienzos de una reapertura de la comunicación con su ser físico, que tal vez haya estado cerrada mucho tiempo merced a los desequilibrios de Vata acarreado por una adicción cualquiera.

PRINCIPIOS GENERALES

Emplee los tres principios que siguen para orientarse cuando empiece con un programa de ejercicios. Le resultarán útiles incluso cuando ya haya adquirido experiencia. Son muy diferentes de la "ética de trabajo" orientada hacia la competencia que, en Occidente, se relaciona a menudo con el ejercicio, pero son esenciales en la visión ayurvédica del modo en que puede usarse el cuerpo para realzar el espíritu.

• *Haga ejercicios sólo al 50 por ciento de su capacidad.* La mayoría de las personas se preocupan si no se han esforzado suficiente, pero demasiado esfuerzo no es mejor que muy poco. Aunque haya estado inactivo un tiempo, en cuanto empiece una actividad física, estará en condiciones de evaluar su capacidad total con bastante precisión. Por ejemplo, después de nadar 5 largos, tal vez sienta que, si es necesario, podría nadar 20, en total, y por eso convendrá que se detenga después de haber nadado no más de 10. Recuerde que el propósito del ejercicio no es obligarse a llegar al agotamiento sino generar niveles de energía y de resistencia más elevados. A medida que mejore su estado físico, la línea que marca la mitad avanzará, de manera que mantener ese principio del 50 por ciento no impedirá, de ningún modo, que obtenga altos niveles de rendimiento.

• *Trate de hacer ejercicios cada día.* Si ya no está impaciente por hacer ejercicios —si se siente como si estuviera agotado después de haberlo hecho tres o cuatro días seguidos—, es probable que haya estado sobrepasando ese límite del 50 por ciento. Un programa de ejercicios debe disfrutarse y motivarlo a uno, para que pueda ser sostenido durante el tiempo que sea necesario. Si reemplaza la idea de que "no hay ganancia sin dolor", por la de "máxima ganancia sin esfuerzo", podrá gozar de los beneficios del ejercicio sin agotar sus reservas de energía.

• *Use la respiración y la transpiración como medidas de la intensidad del ejercicio.* Si descubre que necesita respirar por la boca mientras hace ejercicios, eso le indicará que está esforzándose demasiado. La respiración jadeante y la excesiva transpiración significan que el cuerpo está sometido a una tensión exagerada. El ritmo de la respiración es uno de los mejores indicadores de la eficacia del ejercicio. Si respira lenta y profundamente, pero sin esfuerzo, está trabajando al ritmo correcto.

EL EJERCICIO Y LOS DOSHAS

El Ayurveda enseña que cada ser humano es único, y esta verdad se confirma en lo que se refiere al ejercicio. Del mismo modo que no hay una sola prescripción de medicamento que sea la mejor para todos, no hay programa de ejercicios que sea apropiado para todos los individuos. Aun así, hay ciertos principios que pueden aplicarse a los tres tipos básicos de mente y cuerpo.

En general, a los tipos Kapha les hace bien el ejercicio vigoroso y exigente. Con sus contexturas generalmente pesadas y musculosas, podrán tener la libertad de desafiarse a sí mismos, y contrarrestar su tendencia natural hacia la vida sedentaria. Por el contrario, los tipos Pitta tienden a exigir demasiado a sus cuerpos. Si su dosha dominante es Pitta, será conveniente que prefiera las actividades que lo relajen, más recreativas que de competencia. Para los tipos Vata, el mejor ejercicio es el ligero; esto reviste gran importancia ya que, como hemos visto, casi siempre las conductas adictivas provocan un desequilibrio de Vata, cualquiera sea el dosha que predomine en ese individuo.

Las caminatas breves, el aerobismo de bajo esfuerzo y el ciclismo ligero son actividades aptas para equilibrar Vata, pero los ejercicios yoga serán los mejores. Mucha gente asocia el yoga con posturas forzadas, trances y estilos de vida ascéticos, pero estos son conceptos errados. En sánscrito, yoga significa unión, y su verdadero propósito consiste en la unión de cuerpo, mente y espíritu. No hay duda de que los ejercicios yoga son beneficiosos para los músculos y el sistema cardiovascular, pero además calman la ansiedad y ayudan a concentrarse. Estas cualidades son las que hacen que el yoga sea especialmente eficaz para apaciguar Vata.

Como Vata está asociado con los elementos del aire y el espacio, lo apaciguan las posturas yoga que proporcionan un efecto de "suelo", curvando el cuerpo hacia su centro o llevando la cabeza hacia abajo, hacia la tierra. Es conveniente practicar estas posturas en una secuencia lenta y relajada. Como con cualquier ejercicio yoga, es importante recordar que la respiración correcta es tan esencial como la posición misma. Intente respirar por la nariz, de manera profunda y rítmica. Use la respiración para crear una sensación de equilibrio, calma y fuerza interior.

POSTURAS QUE EQUILIBRAN VATA

Cuando practique los ejercicios, recuerde que debe relajarse y asuma la postura sin esfuerzo. No crea que debe ejecutar cada una de ellas a la perfección. Simplemente, estire el cuerpo hasta el punto en que sienta una suave tensión. Desde luego, con la práctica se volverá más flexible.

INCLINACIÓN HACIA ADELANTE (*PADAHASTASANA*)

De pie en una posición relajada, deje los brazos flojos a los costados. Inhale y levante lentamente los brazos hasta que queden estirados encima de su cabeza. Incline la cabeza hacia atrás, hasta que sienta un suave tirón y eleve la vista.

Con los codos rectos y las manos extendidas, inclínese adelante por la cintura y trate de tocar el suelo delante de sus pies. Estírese sólo mientras no sienta ninguna molestia y no perciba la necesidad de apretar las rodillas. Manténgase flexionado por la cintura, cuente hasta cinco y luego vuelva a la posición erguida mientras inhala profundamente. Repita de 3 a 5 veces.

POSTURA DE RAYO (*VAJRASANA*)

Arrodíllese con las rodillas juntas, y el peso apoyado en los talones. Coloque los pies de modo que las plantas miren hacia arriba. Mantenga la espalda recta y la cabeza alta y apoye las palmas de las manos sobre las rodillas.

Cierre los ojos y respire de manera profunda y regular. Deje que su mente se despeje. Mantenga la posición por lo menos 30 segundos o durante todo el tiempo que le resulte cómoda.

POSTURA DE LA CABEZA A LA RODILLA
(*JANU SIRSASANA*)

Siéntese en el suelo con las piernas estiradas delante de usted. Flexione la rodilla izquierda y apoye la planta del pie de ese lado contra la parte interna del muslo derecho. Mientras exhala, inclínese adelante por la cintura y estírese para asir el pie derecho con ambas manos. No se esfuerce y, si es necesario, deje que la pierna derecha se flexione un poco en la rodilla. Trate de no dejar caer el pecho ni de arquear demasiado la espalda.

Respire de manera normal y mantenga la portura hasta que cuente cinco. Luego, vuelva a la posición de sentada e invierta la posición. Practique de 3 a 5 ciclos

POSE DE LA CONCIENCIA (*SAVASANA*)

Tiéndase estirada de espaldas, con las palmas de las manos abiertas, mirando hacia arriba, a los costados de las piernas. Cierre los ojos e intente relajar completamente cada zona del cuerpo. Respire de manera profunda y rítmica, y sienta cómo desaparece la tensión de los músculos. Puede practicar esta posición todo el tiempo que sea conveniente, cuanto más, tanto mejor. La verdadera relajación es un arte y, a medida que adquiera experiencia, comprobará que lo hace mejor.

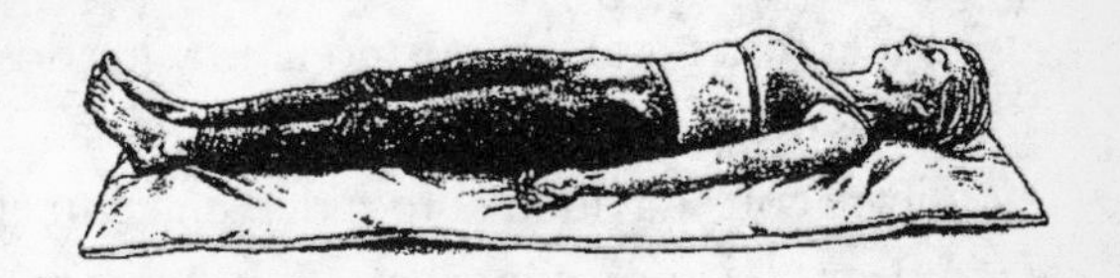

EJERCICIOS DE RESPIRACIÓN

Respirar es un proceso de contacto íntimo con el universo. Con cada respiración, intercambiamos billones de átomos con el medio ambiente. El sistema mente cuerpo recibe elementos nutritivos y elimina desperdicios. Los dos ejercicios que presento aquí le ayudarán a usar la respiración para restablecer el equilibrio de Vata. Úselos cuando se sienta preocupado o perturbado o para ayudarse a serenar la mente antes de dormir.

RESPIRACIÓN DE FOSAS ALTERNADAS (*NADI SHODHANA*)

- Siéntese cómodo en una silla de respaldo recto, con los pies apoyados sobre el suelo. Coloque el pulgar de la mano derecha junto a la fosa nasal del mismo lado y los dos dedos del centro sobre la fosa izquierda.
- Cierre con suavidad la fosa derecha con el pulgar, al tiempo que exhala lentamente por la izquierda. Ahora, inhale suavemente por la izquierda.
- Cierre la fosa izquierda con los dos dedos medios y exhale por la fosa derecha. Luego, inhale con facilidad por la misma fosa nasal.

- Tape otra vez la fosa nasal derecha con el pulgar, mientras exhala lentamente por la izquierda. Luego, inhale por la derecha.
- Cierre la fosa nasal izquierda con los dos dedos del medio y exhale por la derecha. Luego, inhale suavemente por la misma fosa nasal.
- Durante un período de 4 a 5 minutos, ejecute tres ciclos completos de este ejercicio con cada una de las fosas nasales.

ABEJORRO (*BHIRIMARI*)

- Siéntese en una silla cómoda, con la espalda recta y los pies apoyados en el suelo. Inhale profundamente y, cuando exhala por la nariz, emita un ronroneo bajo en el fondo de la garganta.
- Cuando haya agotado el aliento, inhale otra vez y repita el sonido de ronroneo mientras exhala.
- Ejecute cinco ciclos de este ejercicio durante un período de 2 a 3 minutos.

12

Dieta para equilibrar Vata

En las primeras etapas de la recuperación de las adicciones, cobra especial importancia una dieta que equilibre el dosha Vata. Con ese propósito presento las recomendaciones siguientes:

1. Prefiera alimentos tibios, pesados y aceitosos. Reduzca al mínimo los fríos, secos y ligeros.

2. Prefiera alimentos dulces, agrios y salados. Reduzca al mínimo los picantes, amargos y astringentes.

3. Coma cantidades grandes, pero no más de lo que pueda digerir con facilidad.

- **Lácteos.** Todos los lácteos apaciguan Vata.
- **Edulcorantes.** Todos los edulcorantes (con moderación) son buenos para pacificar Vata.
- **Aceites.** Todos ellos reducen Vata.
- **Granos.** El arroz y el trigo son muy buenos. Reduzca la cebada, el maíz, el mijo, el trigo sarraceno, el centeno y la avena.
- **Frutas.** Prefiera frutas dulces, agrias o pesadas, como naranjas, plátanos, aguacates, uvas, cerezas, duraznos/melocotones, melones, moras, ciruelas, ananás/piñas, mangos y papayas. Reduzca las secas o ligeras como manzanas, peras, granadas, arándanos y frutas secas.
- **Vegetales.** Remolachas, pepinos, zanahorias, espárragos y batatas/boniatos son buenos. Deberán ingerirse cocidos, nunca crudos. Los siguientes vegetales son aceptables en cantidades moderadas, si se cuecen en manteca/mantequilla clarificada o aceite, y con especias reductoras de Vata: arvejas/guisantes, brócoli, coliflor, apio, zucchini/calabacín, y verduras de hoja verde. Es preferible evitar brotes y calabazas.
- **Especias.** Son buenos el cardamomo, comino, jengibre, canela, sal, clavo, semilla de mostaza y cantidades pequeñas de pimienta negra.
- **Frutos secos.** Todos son buenos.
- **Legumbres.** Reduzca todos los guisantes, excepto el tofú y la sopa de guisantes secos partidos.
- **Carne y pescado** (para los no vegetarianos). Pollo, pavo y frutos de mar, son adecuados. Es mejor evitar las carnes rojas.

13

ALEGRÍA: LA RESPUESTA VERDADERA

Parecería que la psicología y la biología de los comportamientos adictivos han sido estudiadas desde todos los ángulos posibles. Gran parte de este trabajo ha sido valioso y, sin embargo, el fenómeno de la adicción en todas sus formas sigue presente, e incluso está creciendo en muchos segmentos de la población. Estoy seguro de que no soy el primero que propone un enfoque basado en lo espiritual, y al mismo tiempo aporta información científica actualizada, ofreciendo la mejor oportunidad posible para enfrentar con éxito esta problemática. Ya he mencionado mi respeto por los programas de 12 pasos creados por Alcohólicos Anónimos y otras organizaciones y ahora, al cerrar, me gustaría ofrecer mis propios doce puntos para reemplazar la conducta adictiva por la verdadera alegría de vivir.

En la Primera Parte, hice una distinción entre felicidad y alegría. Describí a la felicidad como un sentimiento promovido por una experiencia externa, como encontrar dinero en el suelo, mientras que la alegría se origina dentro de nosotros. La alegría es un regreso a la armonía profunda de cuerpo, mente y espíritu que uno tenía al nacer, y que se puede recuperar. Cuando haya recuperado este estado, ya no necesitará estimulantes, depresores, ni nada que deba ser comprado, escondido, inyectado, inhalado, encendido o apagado. En la infancia, usted no necesitó ninguna de estas cosas, cuando un día soleado y el amor de su familia le bastaban para colmarlo de dicha. Esa apertura al amor, esa capacidad de unidad con el mundo que lo rodea, aún está dentro de usted. Si la adicción ha formado parte de su vida durante un tiempo, es probable que le parezca imposible volver a ser como era antes de la adicción. Pero es posible. Más aún, es inevitable si se libra de la culpa y el reproche, y empieza a llevar experiencias gozosas a su vida. Las sugerencias que siguen están destinadas a ayudarle con esto.

Como no quisiera que estas sugerencias parezcan una lista de mandamientos grabados en piedra, las he redactado en forma de preguntas. Le ruego advierta que ninguna de ellas menciona la adicción, ni la abstinencia o la prevención. Son, sencillamente, cosas que puede hacer para abrirse a la salud, a la alegría y a la vida misma.

Lo insto a que lea esta lista de vez en cuando, sobre todo al terminar el día. Si ha podido practicar alguna de estas actividades, ¿cómo se sintió? Si no ha podido hacerlo hoy, ¿hay algún modo de que pueda encontrar una oportunidad mañana?

1. *¿Durmió anoche lo suficiente?* Hay personas que necesitan dormir más que otras, y la cantidad de horas que más le convienen depende de su edad, de su tipo de mente y cuerpo, y de muchos otros factores. Pero las investigaciones demostraron que tanto el exceso de sueño como el insomnio son síntomas de depresión, y no es de extrañar que la mayoría de las personas adictas estén deprimidas. Si está durmiendo más de 10 horas por noche, o menos de seis, es probable que tenga que efectuar algunas correcciones en esa cuestión. Para más información acerca del sueño y sus beneficios, podrá consultar mi libro, *Sueño Reparador*, que también forma parte de la serie de *Perfecta Salud.*

2. *¿Empezó el día con actividades nutritivas, que fortalecieran su cuerpo y su espíritu?* Las primeras horas son fundamentales para determinar cuál será su estado mental durante el día. Si es posible, trate de

despertar sin usar un reloj despertador, pero si lo necesita, use un radio reloj sintonizado en una emisora de música sedante. No se sienta obligado a escuchar las noticias o a encender la televisión como primera actividad del día. A menudo, ofrecen información negativa, que haría que empezara el día con el pie izquierdo. En lo que se refiere al desayuno, el Ayurveda enseña que, si lo toma, deberá ser ligero, pero si usted verdaderamente disfruta con un desayuno copioso, es preferible que lo tenga, a empezar el día con una abstinencia que le produciría tensión. Por supuesto, las primeras horas de la mañana son ideales para meditar, y a medida que esto se convierta en parte de su vida, será natural que prefiera comer ligero por la mañana.

3. *¿Ha disfrutado realmente de su trabajo?* La ausencia de satisfacción en el trabajo es una de las causas más citadas de depresión que dan origen a comportamientos adictivos. Si percibe que el trabajo no lo satisface no habrá beneficio económico que lo compense por el daño que causa en el disfrute general de su vida. Se dice que aquél que sea capaz de inventar su propia ocupación es un genio, y no hay duda de que el trabajo debería ser una oportunidad para la creatividad y el crecimiento. Aun cuando, a esta altura, no pueda efectuar cambios radicales en su carrera, busque —fuera de su trabajo

actual— actividades que pueda desarrollar en las horas libres. A mí me alegra haber encontrado la escritura, aunque tuve durante muchos años una práctica médica de tiempo completo.

4. *Si se sintió enfadado con alguien o con algo, ¿pudo expresarlo de manera constructiva?* Suele ser dañino expresar la ira de manera súbita y exagerada, pero también es un error contenerla y dejar que los sentimientos destructivos lo afecten por dentro. El Ayurveda indica que el enfado debe de ser "digerido", del mismo modo que cualquier otra cosa que entra en el cuerpo. Un factor clave de este proceso es reconocer que la ira es creada por uno mismo, no por lo que otro diga o haga. Pase lo que pase, es usted quien tiene siempre la posibilidad de elegir la respuesta. Cuando haya aprendido a ejercitar esta elección, tendrá la capacidad de procesar a fondo la ira, del mismo modo que su cuerpo procesa lo que come y lo que bebe. Una vez terminada esta digestión emocional, podrá expresar sus sentimientos a otros sin dañarse usted mismo ni a los demás.

5. *¿Ha podido hoy vivir la naturaleza con conciencia y valoración?* El Ayurveda enseña que existe una fuerza vital universal llamada *prana* en sánscrito, de la cual extraen energía todos los seres vivos. Una fuente de prana es la comida sana, pero no es la

única, ni siquiera la más importante. Aunque viva y trabaje en una zona urbana, puede mantenerse en contacto con la naturaleza cerca de las plantas y las flores, caminando por el parque o al lado de un curso de agua cada vez que tenga tiempo o, sencillamente, exponiéndose al sol un rato cada día. El solo hecho de plantar una semilla en una maceta, por ejemplo, de regarla con esmero y de observar con amor cómo germina, crece y florece, podrá brindarle una experiencia natural de genuina riqueza. El nivel de atención y conciencia que preste a esas actividades destinadas a resaltar el prana es, en realidad, mucho más importante que las actividades mismas.

6. *¿Ha tenido tiempo para realizar actividades o ejercicios que usted disfruta?* En los últimos 20 años, un sólido cuerpo de investigaciones ha demostrado que hay una clase de hormonas llamadas endorfinas, que pueden tener efectos sumamente benéficos, tanto físicos como emocionales. El ejercicio es una de las maneras más eficaces de estimular al cerebro para la producción de endorfinas, y esto explica la "euforia del corredor", conocida por muchos atletas. Pero no tiene obligación de comprometerse en actividades agotadoras para gozar de esos beneficios. Las posturas yoga descritas en el capítulo 11 están pensadas para poner en marcha los centros energéticos del cuerpo, que el Ayurveda llama puntos *marma*. Éstos

constituyen las bases para estimular la energía desde dentro. Más aún, el yoga no necesita del tiempo ni la inversión que exigen otras formas de ejercicio físico. Aunque sólo dedique unos minutos cada día, el yoga lo proveerá con los numerosos beneficios de la meditación, al mismo tiempo que fortalecerá su cuerpo. Cuando mejore su estado físico, disminuirá la tendencia hacia las actividades autodestructivas.

7. *¿Ha podido pasar un rato tranquilo consigo mismo?* La presencia de la inmovilidad en sus variadas formas es característica de la vida moderna, y puede desencadenar una gran ansiedad. La capacidad de guardar silencio y disfrutarlo es el antídoto contra la estática, y el verdadero objetivo de la meditación ayurvédica consiste en acceder a esos espacios de silencio que existen entre los pensamientos. La pequeña cuota de disciplina que requiere la meditación será bien recompensada por la rica experiencia del alerta reposado que es, a la vez, tranquilizador y estimulante, aunque parezca paradójico. Estoy convencido de que la meditación es la única técnica más eficaz para terminar con cualquier forma de adicción.

8. *¿He reído hoy con verdadero placer?* Hay muchas clases de risa, así como hay muchas clases de habla. Como consecuencia de la tensión o la ira, muchas personas olvidan cómo reír con verdadera

felicidad, y buena parte del humor actual se basa en humillaciones o en contemplar las desdichas de los demás. La risa impiadosa puede resultar muy destructiva, pero la que está cargada de calidez y alegría tiene un efecto casi mágico para curar el dolor físico y emocional. Intente recordar algunas cosas que, de verdad, lo hicieron reír francamente en algún momento; incluso podría divertirse anotándolas. Por ejemplo, ¿cuáles son los tres incidentes más divertidos que ha visto? Ésos son momentos para atesorar, y será bueno que se permita pensar en ellos cada vez que se sienta abrumado por sentimientos negativos. La risa puede ser una adicción positiva, y su presencia es capaz de frenar el impulso hacia otros comportamientos adictivos.

9. *Si se sintió cansado o tenso, ¿pudo descansar un rato?* Mucha gente cree que nunca tiene tiempo suficiente, pero nadie tiene más tiempo que otros. Al enfrentar el desequilibrio de Vata que suele provocar la adicción, tendrá que hacer caso de la necesidad de descansar en mitad de situaciones que, tal vez, le parezcan imposibles. El Ayurveda nos enseña que ciertos períodos del día son naturalmente aptos para la relajación. Esos períodos están dominados por Kapha, el más sereno y estable de los doshas, y son entre las 6 y las 10 en punto, tanto a la mañana como a la noche. Si es posible, aproveche esos momentos como

una parte tranquila del día, sin prisas. Los lapsos Kapha son ideales para la meditación, pero después de haber meditado es muy beneficioso quedarse tranquilo durante esos períodos de la mañana y de la noche. El mundo no se derrumbará si usted se toma las cosas con calma un momento. Más aún, le parecerá que funciona de una manera mucho más fluida durante el resto de la jornada.

10. *¿Ha hecho sus comidas en ambientes agradables, con personas cuya compañía pudo disfrutar?* Según el Ayurveda, el alimento que constituye una comida es menos importante que las emociones que la acompañan. Hasta las emociones de las personas que prepararon la comida son importantes. Si bien nos hemos acostumbrado a la "comida instantánea" y a todo lo que ésta implica, es esencial la capacidad de disfrutar el alimento para lograr un goce genuino de la vida. Y hasta que pueda gozar, realmente, de la vida, es probable que la adicción y otras conductas adictivas continúen representando un problema. Intente convertir, al menos, una comida por día, en una ocasión placentera y distendida. Si es posible, el Ayurveda recomienda que sea la del mediodía.

11. *¿Ha manifestado hoy amor a sus amigos y a los miembros de su familia?* El amor puede demostrarse de muchas maneras. Los seres humanos

perciben mejor el afecto por medio del tacto, y el contacto físico es, sin duda, una forma maravillosa de expresar amor. Hablar, escuchar, compartir una comida, dar una caminata juntos al anochecer, escuchar música con personas queridas, son también modos de demostrar cariño que, sin embargo, es fácil perder de vista entre las presiones de la vida contemporánea. No se puede organizar el cariño del modo en que uno destina tiempo para la meditación o el ejercicio, pero en cambio se puede tomar conciencia del amor que se siente por las personas cercanas y encontrar la manera de expresar esos sentimientos en cualquier momento, de modo espontáneo y dichoso. En toda la vida no hay nada más saludable ni más importante.

12. *A su vez,¿recibió con ánimo libre y dichoso el amor conque le correspondieron?* Cuando haya comprendido que muchas personas lo aman, que su existencia misma es una manifestación del amor, se verá libre de la necesidad de la adicción. El amor es el mayor de los tesoros. Comparada con él, no hay sustancia adictiva que tenga el menor poder.

Los temas que hemos desarrollado en este libro son sólo unas pocas de las adicciones más comunes que pueden encontrarse en Estados Unidos. Hay, además, personas adictas a las compras, a las deudas, a conducir pasando el límite de velocidad, a coleccionar y a otros cientos de conductas. Incluso ciertas personas son adictas a la cirugía. Se dice que vivimos en una sociedad de adicciones —que somos adictos a la adicción—, y tal vez haya cierta verdad en esto. En el sentido de que la adicción representa una búsqueda de plenitud en áreas donde no puede hallarse jamás la verdadera plenitud. Pienso que la adicción es una característica de la vida contemporánea. Por otro lado, también estoy convencido de que nuestra definida orientación materialista está empezando a convertirse en un reconocimiento real de los valores espirituales. Más que cualquier otra modificación de leyes o de castigos, este cambio es la mejor esperanza de reducir o eliminar el problema de la adicción. Si su vida ha sido dañada por una conducta adictiva, el hecho mismo de que esté leyendo este libro indica que está participando del importante cambio de perspectiva que está ocurriendo en la actualidad, alejándose de los placeres ilusorios de sustancias y estimulantes, y en dirección a la alegría interior —el éxtasis genuino—, que se halla en el ser espiritual.

Desde este mismo momento, enorgullézcase de su sincera intención, y empiece a disfrutar de las posibilidades infinitas que le brinda cada momento de la vida.

Del mismo autor

ENERGÍA SIN LÍMITES

Deepak Chopra, especialista de fama mundial en medicina ayurvédica, nos ofrece aquí un programa integral para desbloquear el potencial energético de la mente y devolvernos la vitalidad tan necesaria para desarrollar una vida plena.

El autor nos enseña cómo obtener más energía de los alimentos, reducir las tensiones de la vida cotidiana y eliminar la fatiga crónica, que se ha convertido en uno de los grandes males de esta época.

Basándose en una disciplina con más de cinco mil años de existencia, Chopra nos muestra que es posible lograr el equilibrio entre el cuerpo y la mente, modificar nuestro estilo de vida y aprovechar al máximo nuestro potencial físico, mental y espiritual.